Drôle en verrat

Œuvres de Gilles Latulippe

Une p'tite vite (éd. de l'Homme, 1970)
Olivier (éd. Stanké, 1985)
Avec un sourire. Autobiographie (éd. de l'Homme, 1997)
Balconville, P.Q. (Élæis, 1999)
Salut cocu ! (Élæis, 1999)
La Sainte Paix (Élæis, 1999)
Vingt-cinq sketches, tome I (Élæis, 1999)
Vingt-cinq sketches, tome II (Élæis, 1999)
Drôle en diable (Élæis, 2000)
Drôle à mort (éd. TDV, 2001)
Drôle en cochon (éd. TDV, 2002)
Drôle comme un singe (éd. TDV, 2003)
Drôle en Tabar... ouette (éd. TDV, 2004)
Drôle en titi (éd. TDV, 2005)

Gilles Latulippe

Éditions T.D.V., 2007

© Éditions Théâtre des Variétés, 2007
Correction d'épreuves : Diane Baril
Mise en page : Cyclone Design Communications inc.

Tous droits de traduction, de reproduction
et d'adaptation réservés pour tous pays.

ISBN : 978-2-9807286-5-5
Dépôt légal : 3e trimestre 2007
Bibliothèque nationale du Québec
Bibliothèque nationale du Canada
Imprimé au Canada

Une fois, c'est un gars qui savait raconter une histoire.

Toute histoire devrait commencer de cette façon. Des blagues, des jokes, des histoires ne sont drôles et ne sont bonnes que si elles sont bien racontées. Juste assez de mots, les bons mots, les bons qualificatifs, le bon rythme, quelques silences... et vlan ! Un bon punch !

J'ai rencontré pour la première fois ce merveilleux raconteur qu'est Gilles Latulippe au tout début de ma carrière alors qu'on m'invitait à participer aux Démons du midi à Radio-Canada. Tout vert et plein d'ambition, je préparais mes interventions à cette émission avec un très grand soin. C'était pour moi un honneur d'y être invité et j'appréciais particulièrement le début de l'émission que je regardais des coulisses du studio. Gilles Latulippe racontait ses histoires à la coanimatrice Suzanne Lapointe. Celle-ci riait exagérément. Moi aussi je riais beaucoup. Quelquefois, je connaissais la joke, mais je riais quand même. Tout le monde sur le plateau riait, même au-delà de 1000 émissions. Nous riions parce que les jokes étaient bien racontées et que Gilles, d'une façon ou d'une autre, savait nous surprendre. Toujours adéquatement choisies; chaque fois, je voyais dans les yeux de Gilles l'instinct du grand comique qui débitait sa blague, focalisant sur la proie qu'était son public. Chacun des mots, chacune des intonations, des hésitations, des mimiques n'avait qu'un seul but : faire rire son public.

Faire rire exige une grande générosité et un don de soi. J'ai appris ce grand précepte en jouant avec Gilles dans les sketchs burlesques des Démons du midi. Affublé d'un costume loufoque aux couleurs criardes, trop grand ou trop petit pour moi, jouant le mari cocu, le vendeur, le niaiseux... J'étais nerveux, souvent intimidé. Gilles me guidait subtilement par le bras si je n'étais pas bien placé. Sortant juste un peu du texte pour me laisser improviser selon mes compétences, ramenant l'action vers lui pour me sortir du pétrin, il s'assurait toujours que nous pouvions, ensemble, pousser au maximum le potentiel du sketch dans un seul et unique but : faire rire le public. Je dois humblement dire que je l'ai rarement vu rater sa cible. Il jouait efficacement son rôle d'amuseur mais, sans le savoir, il a joué un rôle de professeur. C'est ça, savoir raconter une bonne joke.

Lorsque je lis un recueil de blagues, je me retrouve à la place du public. Généralement, je connais certaines des blagues puisqu'elles m'ont été racontées par des centaines de personnes qui m'en racontent en me disant « tu mettras ça dans ton show ». Mais quand je rencontre Gilles Latulippe, non seulement je ne suis pas capable de le surprendre avec une blague mais, lui, réussit toujours à m'en pousser deux ou trois que je ne connaissais pas (Dieu seul sait où il les trouve !). Alors, lorsque je lis ce livre, non seulement je me bidonne avec une joke que je ne connaissais pas, mais en plus, j'imagine son auteur. Je visualise très bien l'animateur des Démons du midi, Symphorien, le maître du Théâtre des variétés, le petit vieux de Poivre et Sel, et je ris encore plus. Je lis et je relis en entendant ce grand comique parce qu'avec M. Latulippe... c'est l'histoire d'un gars qui sait raconter une histoire.

Mario Jean

Merci à mon bras droit Olivier Latulippe et à notre ami Serge Trudel.

G.L.

Avertissement.
L'auteur et l'éditeur sont tombés d'accord sur l'impérative nécessité de conserver au langage de toutes les histoires drôles leur forme populaire, sans laquelle elles perdraient fatalement leur âme et leur tonus.

RAPPELEZ-VOUS
QU'UNE BONNE HISTOIRE DRÔLE,
C'EST DU VIAGRA POUR L'ESPRIT!

La bonne femme se regarde dans le miroir et elle dit :
– Je me regarde : je suis vieille, je suis grosse, je suis laide. Qu'est-ce qui me reste qui a de l'allure ?
Son mari lui répond :
– Au moins, ta vue est encore bonne !

Le fonctionnaire souffrait tellement d'insomnie qu'il ne pouvait même pas dormir au bureau !

Mon mari est tellement niaiseux qu'il pense que l'orgasme mutuel, c'est une compagnie d'assurance.

Il s'était fait amputer les orteils pour être capable de se tenir plus proche du bar.

Le mariage, ce n'est pas une loterie. Dans une loterie, il y a des gagnants...

On peut différencier le vin allemand du vinaigre par l'étiquette.

Les hommes ne valent pas cher et les femmes ne sont pas bon marché.

On passe les 12 premiers mois à apprendre à nos enfants à marcher et à parler et les 12 années suivantes à leur dire de s'asseoir et de la fermer.

L'Italien parle avec ses mains. Comme ça, s'il frappe sa femme, il peut toujours dire que c'est un mot qui lui a échappé.

La première règle d'une diète : « Si ça goûte bon, c'est mauvais pour vous. »

Deux gars se rencontrent. Le premier demande :
- Crois-tu à ça toi, la vie après la mort ?
- Non, moi je ne crois pas à ça.
- Moi non plus je n'y croyais pas. Maintenant j'y crois : depuis que ma femme est morte, j'ai recommencé à vivre.

Un avocat est prêt à n'importe quoi pour gagner sa cause, parfois même à dire la vérité.

Hier soir, j'ai dit à ma femme :
- Madeleine, penses-tu que la passion puis le sexe c'est fini entre nous ?
Elle me répond :
- On discutera de ça pendant le commercial.

Où il n'y a pas de voiture de police, il n'y a pas de limite de vitesse !

Le mariage, c'est le jour où l'on s'habille le mieux pour sauter à pieds joints dans la merde.

C'est mieux d'être noir que gai. Quand tu es noir au moins tu n'es pas obligé de le dire à ta mère.

Divorce de Michael Jackson :
Lisa Marie Presley ne voulait pas d'enfants... surtout dans son lit...

J'ai des beaux enfants, heureusement que ma femme me trompe !

Il y a deux sortes de femmes : celles qui trompent leur mari et celles qui disent que c'est pas vrai.

Tu aides un homme dans le trouble et il ne t'oubliera jamais, surtout quand il sera encore dans le trouble.

À la taverne, deux gars jasent ensemble :
- La semaine passée, j'ai acheté un démarreur à distance pour mon auto. Je ne l'ai pas payé cher, juste 50 $.
- Tu n'es pas sérieux, un démarreur, ça vaut au moins 100 $ – 150 $. Comment tu as fait ça ?
- J'ai acheté une paire de bottes à ma femme.

Mon père ne m'a jamais emmené au zoo; il disait : « S'ils veulent l'avoir, ils viendront le chercher. »

Pourquoi est-ce que les hommes choisissent toujours des femmes qui pleurent tout le temps sans raison puis qui prennent deux heures pour s'habiller ?

Ils ne choisissent pas, il n'y en a pas d'autres.

Les inséparables sont 100 % fidèles à leur partenaire, aussi longtemps qu'ils sont enfermés dans la même cage.

La femme demande à son mari :
- Depuis notre mariage, as-tu déjà regardé une femme en te disant que ça serait bien d'être célibataire ?
- Oui : toi, tous les jours.

Qu'est-ce que l'homme serait sans les femmes ?
Rare, très rare…

Comment fait-on pour faire geler un cochon ?
Tu tires la couverture de ton bord.

Les chutes du Niagara, le 2e désappointement de la jeune mariée.

Quelle est la différence entre un gars qui revient du dentiste et un autre qui revient des danseuses ?

Il n'y en a pas. Les deux ont de la bave sur leur chemise.

Souvent, je souhaiterais qu'Adam soit mort avec toutes ses côtes.

Pour ta femme, quel est le meilleur moment pour se maquiller ?

Quand je l'attends dans l'auto.

Les idées des femmes sont plus propres que les idées des hommes; elles changent tellement souvent.

Quel est le mot que les gars entendent le plus souvent lors de leur première relation sexuelle ?

Déjà !

J'ai pas eu de chance avec mes deux femmes : la première est partie, la deuxième est restée.

Le mari demande à sa femme :
- Pourquoi tu me le dis jamais quand tu atteins l'orgasme ?
- Parce que tu n'aimes pas ça quand je t'appelle au bureau.

J'ai été marié pendant 47 ans avec ma femme, je n'ai jamais pensé au divorce... au meurtre, souvent...

Un homme, c'est comme une vidéocassette :
Avance, recul, avance, recul, stop, éjection.

Je ne connais rien à propos du sexe, j'ai toujours été marié.

Comment appelle-t-on une femme qui sait exactement où est son mari le soir ?

Une veuve.

Mariez-vous toujours très tôt le matin; comme ça, si ça ne marche pas, au moins vous ne perdrez pas votre soirée.

Quelle est la différence entre une femme qui surveille sa ligne et un homme qui surveille sa ligne ?

Il y en a un des deux qui est à la pêche.

Une femme reçoit un téléphone d'une de ses amies qui lui dit :

– Écoute, je viens de voir entrer ton mari dans un motel avec deux femmes.

Plutôt que de se choquer, la femme se met à rire. Son amie s'étonne :

– Ah, puis tu trouves ça drôle ?

– Oui, parce que son Viagra est dans ma sacoche !

Cétait un monde d'homme et soudainement Ève est arrivée.

Pourquoi est-ce que ce sont les hommes qui mènent le monde ?
Parce que les femmes ont des choses plus importantes à faire.

J'ai trouvé un grand cheveu gris sur le veston de mon mari hier. S'il appartient à une autre femme, je vais le tuer. S'il m'appartient, je vais me tuer !

La seule fois que ma femme et moi avons eux un orgasme simultané, c'est quand le juge a signé nos papiers de divorce !

Quel genre de seins les hommes préfèrent-ils ?
Ceux de la voisine.

Le seul endroit où un homme souhaite de la profondeur à une femme, c'est dans son décolleté.

Pourquoi quand une femme couche avec 100 gars, c'est une prostituée et que quand un gars couche avec 100 femmes, c'est jamais moi ?

Si c'est mouillé, assèche-le; si c'est sec, mouille-le. Félicitations, vous êtes maintenant un gynécologue.

Quelle est la différence entre un macho puis un pêcheur ?

Le macho ne se vante jamais d'en avoir pogné une grosse.

Mon cerveau, c'est mon deuxième organe préféré.

Comment appelle-t-on une femme qui fait le travail de deux hommes ?

Une paresseuse.

La femme va voir son chirurgien plastique et lui dit qu'elle veut ressembler à Paris Hilton. Il lui a fait une lobotomie.

La femme demande à son mari :

– Qu'est-ce que tu aimes le plus chez moi, mon esprit ou ma beauté ?

– Ton sens de l'humour.

Le mari dit :

– Ils ont ouvert un lave-auto juste à côté de chez nous.

La femme répond :

– C'est commode, on va pouvoir y aller à pied !

Ça me fait rien de mourir, mais le lendemain, on se sent tellement raide…

Une femme s'était fait greffer deux oreilles à la suite d'un accident. Un mois après l'opération, elle voit son médecin et lui dit :
- Vous ne m'auriez pas greffé des oreilles d'homme par hasard ?
- Oui, pourquoi ?
- Parce que maintenant j'entends tout, mais je ne comprends plus rien !

L'exercice, c'est stupide. Si tu es en santé, tu n'as pas besoin de ça et si tu es malade, tu ne devrais pas en faire.

Une personne sur quatre n'est pas mentalement équilibrée. Pensez à trois de vos amis… s'ils sont corrects, vous avez un problème…

Une femme entre dans une pharmacie et demande au pharmacien de lui vendre de l'arsenic. Il lui demande :

– Pourquoi avez-vous besoin d'arsenic ?

– C'est pour tuer mon mari !

– Mais, Madame, si vous m'aviez dit que c'était pour des rats, j'aurais pu vous en vendre, mais là, vous me rendez complice de meurtre et je ne peux rien faire.

La femme sort alors une photo de son mari en train de s'envoyer en l'air avec la femme du pharmacien. Le pharmacien lui dit alors :

– Ah, madame a une prescription !

Quelle est la différence entre le courage et le culot ? Le courage, c'est de rentrer saoul au milieu de la nuit, de voir ta femme qui t'attend un balai à la main et de lui demander :

« T'es encore en train de nettoyer ou tu t'envoles quelque part ? »

Le culot, c'est de rentrer saoul au milieu de la nuit, entouré d'un nuage de parfum, du rouge à lèvres sur les vêtements, de voir ta femme qui t'attend un balai à la main, de lui taper sur les fesses et de dire :

« T'énerve pas, c'est ton tour... »

L'acupuncture, ça doit être bon, après tout, on a jamais vu un porc-épic malade !

Le p'tit gars demande à sa mère :
- Maman, qu'est-ce que c'est un compte-gouttes ?
- C'est un appareil avec lequel ton père me donne de l'argent.

Comment un noir fait pour avoir une queue de 12 pouces ?
Il la plie en deux

Il y a plus d'hommes que de femmes dans les hôpitaux psychiatriques, ce qui confirme qui rend l'autre fou.

Si ton heure n'est pas venue, même un docteur ne peut pas te tuer.

Un conseil aux messieurs :
   Faites l'amour à des naines, vous aurez l'impression d'avoir un plus gros pénis.

Si vos pieds coulent et que votre nez sent, vous êtes né à l'envers.

Ça m'étonne toujours de voir, dans un accident d'avion, quand les victimes sont tellement mutilées que la seule façon de les identifier, c'est leur fiche dentaire. Ce que je ne comprends pas c'est que, s'ils ne savent pas qui vous êtes, comment savent-ils qui est votre dentiste ?

À peine deux semaines après son mariage, la femme téléphone à sa mère et lui dit :
   – Maman, mon mari et moi, on a eu une chicane de ménage épouvantable.
   – C'est pas si grave que ça; dans chaque mariage, il y a une première chicane.
   – Je le sais maman, mais qu'est-ce que je vais faire du corps ?

La plupart des journalistes rock sont des personnes qui ne savent pas écrire, qui interviewent des gens qui ne savent pas parler pour des gens qui ne savent pas lire.

Trois mères – une brune, une rousse et une blonde – parlent ensemble. La brune dit :

– En faisant le ménage dans la chambre de ma fille, j'ai trouvé un paquet de cigarettes; ça m'a surprise, je ne savais même pas qu'elle fumait.

La rousse dit :

– C'est rien, j'ai trouvé une bouteille de vodka en dessous du lit de ma fille hier; ça m'a choquée, je ne savais même pas qu'elle buvait.

Et la blonde dit :

– C'est rien ça, chez nous c'est pire. J'ai trouvé des condoms dans le tiroir de ma fille; je ne savais même pas qu'elle avait un pénis.

99 % des adultes au pays sont des gens bien, de travailleurs et honnêtes Canadiens. C'est l'autre pitoyable 1 % qui attire toute la publicité et nous fait une mauvaise réputation, mais que voulez-vous, nous les avons élus...

L'opéra, le genre de spectacle qui commence à 8 h et après 3 heures de spectacle, on regarde notre montre et il est 8 h 20…

Protéger les plantes, manger un végétarien.

En Russie, l'homosexualité est un crime puni par sept ans de prison, enfermé avec seulement des hommes. Il y a une liste d'attente de trois ans.

Quelle est la différence entre la bière et l'urine ?
À peu près une demi-heure.

Comment appelle-t-on un fonctionnaire qui travaille une demi-heure par jour ?
Un hyperactif.

C'est un catholique tellement fervent, il ne sera pas content tant qu'il ne sera pas crucifié.

Pourquoi on dit en France que l'on va aux toilettes et au Québec que l'on va à la toilette ?

Parce qu'en France, il faut en voir beaucoup avant d'en trouver une propre.

Quand j'étais petit, je priais tous les soirs pour avoir une bicyclette et ça n'a jamais marché. Alors, j'en ai volé une et je suis allé à confesse.

Le p'tit Jésus revient de l'école avec son bulletin. Marie l'examine.

Mathématiques 3/20... Chimie 5/20... Sport 4/20.

Marie, très fâchée, lui dit :
– Mon garçon, tes vacances de Pâques, tu peux faire une croix dessus.

Le secret d'un bon sermon, c'est d'avoir un bon début et une bonne fin et que les deux soient les plus rapprochés possible l'un de l'autre.

Les femmes, c'est comme le café : au début, ça excite, mais après ça énerve.

Vivre sur la terre, c'est cher mais ça inclut un voyage annuel autour du soleil.

Ma femme dit que je baise comme un lapin; je ne vois pas comment elle peut me juger en 20 secondes.

La cigarette est une des principales causes des statistiques.

Docteur, pensez-vous que j'ai besoin de lunettes ?
- Vous avez besoin de lunettes certain; ici c'est une banque.

Une connaissance, c'est quelqu'un qu'on connaît assez bien pour lui emprunter de l'argent, mais pas assez bien pour lui en prêter.

Le fils de Cyclope demande à son père :
- Papa ! Pourquoi on n'a qu'un œil ?
- Laisse-moi tranquille... J'ai du travail...
- Papa ! Pourquoi on n'a qu'un œil ?
- Je n'en sais rien... Laisse-moi travailler...
- Papa ! Pourquoi on n'a qu'un œil ?
- Arrête ! Tu me casses la couille !

Un conducteur prudent, c'est quelqu'un qui regarde à gauche et à droite avant de passer sur la rouge.

Si l'égalité existait, tous les hommes auraient un sexe de la même longueur.

J'attribue ma longévité au fait que je n'ai jamais touché à une cigarette, à un verre ou à une fille avant l'âge de 10 ans.

La femme est semblable au gruyère : sans ses trous, elle ne serait rien.

À la douane, choisissez toujours le plus vieux douanier : il ne cherche pas la promotion.

Il y a des gens qui pensent que le hockey, c'est une question de vie ou de mort. Je n'aime pas cette attitude : le hockey, c'est plus sérieux que ça !

Un gars entre, furieux, dans une pharmacie :
- Hier, je vous ai acheté une boîte de douze préservatifs, et il en manquait un !
- Écoutez, Monsieur, fait le pharmacien, ce n'est pas grave, je vais vous rembourser...
- Oui, mais le mal est fait : vous m'avez gâché ma soirée !

Quelle est la définition des préliminaires pour un homme ?

Ouvrir la fermeture éclair de son pantalon.

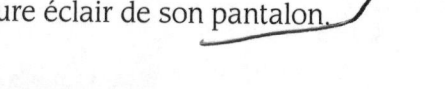

Les critiques sont comme des eunuques dans un harem. Ils savent comment ça doit être fait. Ils le voient faire tous les soirs, mais ils ne peuvent pas le faire eux-mêmes.

Conseil aux jeunes : il ne faut pas sortir sans préservatif... et encore moins entrer...

Le voisin m'a demandé s'il pouvait se servir de ma tondeuse à gazon. J'ai dit : « Oui, tant que tu ne la sors pas de ma cour ».

Deux gars sont en train de discuter et l'un d'entre eux dit :
– Si la fin du monde arrivait dans 15 minutes, qu'est-ce que tu ferais ?
– Moi ? Je baiserais tout ce qui bouge !
– Moi, je ne bougerais pas...

Pourquoi les femmes n'ont-elles pas de couilles ?
Parce que les couilles sont livrées en même temps que le cerveau.

Un couple très huppé cherche des moyens de faire quelques économies dans le budget familial.
– Marie-Ange, si vous appreniez à faire la cuisine, nous pourrions renvoyer la cuisinière, non ?
– Mon cher, sachez que si vous appreniez à faire l'amour, nous pourrions aussi renvoyer le chauffeur !

Morpion : seul animal pouvant changer plusieurs fois de sexe dans sa vie.

Quels sont les points communs entre un meurtrier et un homme qui vient de faire l'amour ?

Après avoir tiré leur coup, ils ne savent pas comment se débarrasser du corps.

Qu'est-ce qui fait 30 cm et qui est blanc ?

Rien, tout le monde sait que si ça fait 30 cm, c'est noir.

Que faire si un pitbull se frotte sur votre jambe ?

Simuler l'orgasme.

Pourquoi les blondes prennent-elles la pilule ?

Pour savoir quel jour on est !

À l'école, les services de l'orientation scolaire font passer des tests aux enfants. Le psychologue étale un mouchoir blanc et le laisse tomber doucement au sol.

– Ça vous fait penser à quoi ? demande-t-il à un élève.

– Je vois un parachute qui descend. Les bérets rouges ont sauté au milieu des lignes ennemies ! Ça tire de partout...

« Esprit de conquête. Agressivité. Courage. Respect de la force... », note le praticien. Puis il passe à l'élève suivant.

– Moi, dit celui-ci, je vois un goéland, tout blanc, qui plane au-dessus de la mer, avec ses grandes ailes déployées...

« Sens poétique » écrit sur sa fiche le psychologue. Il se tourne alors vers un troisième enfant.

– Moi, je vois une belle gonzesse à poil avec des gros seins...

– Tu n'as sans doute pas bien suivi, regarde bien mon geste...

Et il lâche à nouveau le mouchoir qui descend doucement.

– À quoi ça te fait penser ?

– À une belle gonzesse à poil avec des gros seins !

– Je ne comprends pas... Tu as bien vu mon geste ?

– Vous pouvez faire le geste que vous voulez, je m'en fous ! Je pense rien qu'à ça !

Comment reconnaît-on un Newfie dans une partouze ?

C'est le seul à faire l'amour avec sa femme.

Un jeune homme arrive, un bouquet de fleurs à la main, chez une jeune fille dont il a fait la connaissance récemment. Épinglée sur le bouquet, il y a une carte sur laquelle il a écrit les vers suivants :

« Que ces quelques fleurs des champs vous disent mon vœu le plus ardent : Ô, ma jolie Denise, il faut que je vous bise ! »

Et la demoiselle murmure tout bas :

– Quel dommage que je ne m'appelle pas Thérèse !

Le garçon, qui a entendu, lui dit :

– Rassurez-vous, je m'appelle Hercule...

Pourquoi les hommes donnent-ils un petit nom à leur sexe ?

Ils veulent être plus intimes avec celui qui prend toutes les décisions pour eux !

Pourquoi les femmes newfies n'utilisent-elles pas de vibromasseurs ?

Parce que ça fait sauter les plombages.

Quelle différence y a-t-il entre un homme et une femme ?

Un homme a toujours la même queue entre les jambes.

Savez-vous pourquoi les Suisses enfilent trois préservatifs l'un sur l'autre ?

C'est pour que celui du milieu soit propre.

Pourquoi les hommes ont-ils reçu de Dieu un cerveau plus gros que celui des chiens ?

Pour qu'ils ne se frottent pas sur les jambes des femmes en public.

Un jeune homo arrive chez le médecin.

– Bonzour, Docteur ! Ze ne sais pas ce qui m'arrive, ze suis fatigué, fatigué, fatigué...

– Déshabillez-vous, fait le médecin, je vais vous ausculter.

L'autre s'exécute. Le docteur lui met le stéthoscope sur le dos et lui demande :

– Dites 33...

L'autre susurre :

– 33... 33... 33...

Le docteur colle le stéthoscope sur la poitrine.

– Dites 33...

L'autre répète :

– 33... 33... 33...

– Par sécurité, je vais vous faire un toucher rectal.

Il enfile un doigtier et enfonce son index dans le postérieur de son patient.

– Dites 33...

Et l'autre commence :

– 1... 2... 3... 4... 5... 6... 7... 8... 9...

Comment enlève-t-on une sangsue accrochée au pénis ?
En la tirant par les cheveux.

Une voiture stoppe en plein désert pour permettre au copilote de soulager un besoin pressant. Il est en train de le faire contre un cactus lorsqu'il pousse un hurlement et revient vers son équipier.

- Pas de panique ! dit le pilote, j'appelle l'assistance médicale par radio. Il met les écouteurs, établit le contact, et explique ce qui vient de se passer.
- Il était comment, ce serpent ? Vous pouvez le décrire ? Interroge le médecin en ligne.
- Tu peux décrire le serpent ? Demande le pilote à son copain.
- Il mesurait environ soixante centimètres, avec un triangle blanc, fait le pilote dans le micro.
- Je vois, dit son interlocuteur. C'est un crotale des sables. Sa morsure est mortelle. Vous avez du sérum ?
- Non.
- Écoutez, il reste trois minutes avant que le venin agisse. Même avec l'hélicoptère, nous n'arriverons jamais à temps. Alors, il n'y a qu'une solution : vous allez sucer longtemps la plaie et aspirer.
- Qu'est-ce qu'il dit ? demande le copilote.
- Il dit que tu vas mourir...

Quel est le point commun entre sauter en parachute et se faire faire une fellation par une vieille ?
Il ne faut pas regarder en bas.

La scène se passe aux alentours des années cinquante. Un jeune juif américain entre dans un bordel de New York et il dit :
- Qu'est-ce que vous avez à me proposer ?
- Eh bien, lui dit la patronne, il y a les Françaises à dix dollars, les Indiennes à deux dollars et les négresses à un dollar...
- Oui, dit le gars, mais moi, je n'ai que quatre-vingt-dix cents.
- Alors, il n'y a rien à faire !
- Même pas pour une négresse ?
- Même pas !
- Vous ne voulez pas me faire une bonne manière ?
- Oh ! Si c'est pour une bonne manière, vu que vous êtes beau gosse, vous pouvez revenir à la fermeture et monter chez moi...

Vingt ans plus tard, le gars est devenu un très riche industriel. Il repasse dans le même quartier, il se sent un pincement de cœur et il entre dans l'établissement.
- Vous ne vous souvenez pas de moi ? dit-il à la patronne. C'était juste après la guerre. Je n'avais que quatre-vingt-dix cents et finalement...
- Dieu du ciel ! Crie-t-elle, vous êtes revenu ! Eh bien, j'ai une surprise pour vous.

Elle part dans l'escalier et elle appelle :
- Johnny ! Viens vite, je vais te présenter quelqu'un !

Un beau garçon de vingt ans s'amène et la patronne lui dit :

– Tiens, Johnny, voilà monsieur Lévy. C'est ton papa !

Et le garçon s'exclame d'un air renfrogné :

– Comment ? Mon père est un juif et tu ne me l'avais pas dit !

– Écoute, mon garçon, dit le visiteur. Ça pourrait être pire ! Si j'avais eu dix cents de plus, tu serais café au lait...

Un client entre dans une pharmacie.

– Je voudrais un préservatif, dit-il.

– Monsieur, dit le pharmacien, nous ne les vendons pas à l'unité, mais uniquement par boîtes de douze.

– Et c'est combien ?

– Six dollars.

L'autre sort six dollars, prend la boîte, l'ouvre, en sort un préservatif et repose la boîte sur le comptoir.

– Mais Monsieur, dit le pharmacien, elle est à vous, vous l'avez payée, emportez-la !

– Écoutez, fait l'autre, je vous en prie, aidez-moi au lieu de me tenter ! J'essaie d'arrêter...

Une jeune fille couche avec son frère. Et elle lui murmure :

– Sans vouloir te flatter, tu fais mieux l'amour que papa...

– Je sais. Maman me l'a déjà dit.

J'ai appris qu'il fallait cueillir les cerises avec la queue. Je suis embêté, j'avais déjà du mal avec la main !

Un mendiant arrête une passante :
- Madame, s'il vous plaît, j'aimerais pouvoir boire un café. Vous n'auriez pas 32 $?
- Mais un café, ça vaut 2 $!, s'écrie la dame. Pourquoi voulez-vous que je vous donne 30 $ de plus ?
- Pour me payer une pute, parce que le café, ça m'excite !

Je viendrai à 5 heures et nous ferons l'amour. Si je prends un peu de retard, commence sans moi.

Quelle est la vitesse limite en amour ?
Soixante-huit, car à soixante-neuf, tu fais un tête-à-queue...

À force de fréquenter des filles douteuses, un homme a attrapé toutes les maladies vénériennes possibles et, comme il ne s'est pas soigné, son pénis est dans un triste état. Il finit par se résoudre à consulter un médecin qui lui dit :

– Monsieur, dans l'état où elle est, il faut la couper !

– Jamais ! J'y tiens trop…

Et il va voir un grand professeur, qui confirme :

– Il faut la couper !

– Non ! On a tellement de souvenirs ensemble…

Il consulte les plus éminents spécialistes anglais, allemands, italiens, suisses. Et tous répètent :

– Il faut la couper !

C'est alors qu'on lui recommande un médecin américain qui fait, paraît-il, des miracles. L'homme réunit toutes ses économies, traverse l'Atlantique et se rend à cette consultation de la dernière chance. Le praticien l'examine longuement. À la fin, le malheureux demande d'une voix tremblante :

– Vous pensez qu'il faut la couper, Docteur ?

– Absolument pas !

– Vous en êtes certain ?

– Tout à fait certain. Montez sur une chaise et sautez : elle tombera toute seule !

Les hommes sont comme le café. Les meilleurs sont riches, chauds et peuvent te tenir éveillée toute la nuit.

Quelle est la différence entre la séduction et le viol ?
  – La patience.

Le meilleur préservatif, Madame, c'est la laideur.

Sur une plage africaine, un noir et son petit garçon sont au bord de l'eau. Le garçon demande à son père :
  – Papa… je peux jouer avec ton zizi ?
  – Oui, mais ne t'éloigne pas trop…

Il y a des femmes qui, même pénétrées, restent impénétrables.

Pourquoi les blondes sont-elles enterrées dans des cercueils triangulaires ?
  – Parce que, quand elles ferment les yeux, elles écartent les jambes.

Deux homosexuels partent en vacances au Zaïre. Quelques instants avant le décollage, le commandant de bord prend le micro :

– Mesdames et Messieurs, ici le commandant Petiot qui vous souhaite la bienvenue à bord de cet Airbus. Nous allons décoller dans quelques instants, la durée de ce vol sera de…, etc.

– Qu'est-ce qu'il dit ? demande le plus âgé des deux homos qui est un peu dur d'oreille.

– Il dit qu'on va partir ! lui crie son petit ami.

Deux heures plus tard, le commandant reprend le micro :

– Nous survolons actuellement la Méditerranée. Notre altitude est de 30 000 pieds. La température est de… etc.

– Qu'est-ce qu'il dit ? demande le vieil homosexuel.

– Il dit qu'on est au-dessus de l'eau !

Trois heures plus tard, nouvelle intervention du commandant :

– Mesdames et Messieurs, nous commençons notre descente vers Kinshasa, où nous atterrirons dans une vingtaine de minutes. J'espère que vous avez été satisfaits de votre voyage. Je vous souhaite un excellent séjour, en signalant toutefois à ceux d'entre vous qui ne connaissez pas le pays que 60 % de la population a le sida et 40 %, la tuberculose…

– Qu'est-ce qu'il dit ?

– Il dit qu'il faut baiser ceux qui toussent !

Dans l'église du village, quatre jeunes filles vont à confesse. La première franchit le petit rideau et s'agenouille :

> – Mon Père, je m'accuse d'avoir, dans l'autobus où nous étions debout, effleuré de la main droite le sexe d'un homme...
>
> – C'est très mal ! dit le curé. Pour vous purifier, vous irez tremper votre main droite dans le bénitier en récitant cinq *Notre Père* et cinq *Je Vous Salue Marie*.

La deuxième succède :

> – Mon Père, je m'accuse d'avoir, dans le train où nous étions serrés, effleuré de la main gauche le sexe d'un homme...
>
> – Quelle honte ! s'exclame le curé ! Vous irez tremper votre main gauche dans le bénitier tout en récitant cinq *Notre Père* et cinq *Je vous salue Marie*.

Alors, la quatrième dit à la troisième :

> – Ça ne t'ennuie pas de me céder ton tour ? Je préfèrerais me rincer la bouche avant que tu prennes un bain de siège...

L'avantage des camps de nudistes, c'est que, quand un gars arrive devant une femme pour lui dire : « Je vous aime », elle peut répondre :

> – Oui, je vois.

Dans un cirque, un homme entre sur la piste avec un crocodile.

– Mesdames et Messieurs, dit-il, voici un numéro unique au monde. Comme vous le voyez, ce crocodile est particulièrement vivace. Et bien, je vais mettre dans la gueule de cet animal ce que j'ai de plus cher au monde... il descend son pantalon et place son sexe dans la gueule grande ouverte du crocodile. Le public applaudit à tout rompre. Le dresseur se met à donner des grands coups sur la tête du saurien, et s'écrit :

– Même quand je lui tape sur la tête, il ne referme pas ses mâchoires !

Les applaudissements redoublent. Le dresseur rajuste enfin son pantalon et lance au public :

– Y a-t-il quelqu'un qui veut essayer ?

Alors, une vieille dame se lève et dit :

– Moi je veux bien, mais soyez gentil, ne me tapez pas sur la tête trop fort...

... tu te branles devant un film porno, c'est comme un karaoké...

Deux amies en vacances au Club Med, au Sénégal, se font leurs confidences.

– Figure-toi, dit l'une, qu'hier soir, en me promenant sur la plage après dîner, je suis tombée sur deux Noirs complètement nus avec des sexes énormes ! Je crois que je n'ai jamais couru aussi vite de ma vie !

– Et alors ? fait sa copine.

– Alors, je n'ai pas réussi à les rattraper...

Quel est le petit nom du pénis de Michael Jackson ?

Vérité, car la vérité sort toujours de la bouche des enfants.

Le sexe masculin est ce qu'il y a de plus léger au monde, une simple pensée le soulève.

Pourquoi les blondes ne disent-elles rien pendant l'amour ?

Parce que leur mère leur a appris à ne pas parler aux étrangers.

C'est un vieux monsieur qui épouse une jeune fille. Le soir de la noce, elle lui demande :

– Alors, on va se prendre une bonne dose de sexe, ce soir ?

Le vieil homme répond en levant la main et en lui montrant ses cinq doigts tendus.

– Quoi ? Cinq fois ? demande la jeune fille incrédule...

– Non, répond le monsieur... choisis un doigt.

Un homme découvre une lampe magique, la frotte, la frotte, la frotte encore jusqu'à ce que Pof ! un génie sort de la lampe !

– Bon, tu sais que t'as trois vœux à faire. Ce que tu ne sais pas, c'est que ton pire ennemi aura systématiquement le double de ce que tu demandes pour toi. Je tiens mes promesses. Maintenant, dépêche-toi, je n'ai pas que ça à faire !

– Alors, mon premier vœu, c'est d'avoir un très fort appétit sexuel.

– Très bien. Ton pire ennemi aura deux fois plus envie que toi de faire l'amour.

– Mon deuxième vœu est d'avoir 20 superbes jeunes filles qui seront sexuellement mes esclaves.

– Très bien. Ton pire ennemi en aura 40.

– Mon troisième et dernier vœu, c'est que tu m'enlèves une couille...

Que font trois homos les uns derrière les autres ?
Ils fêtent l'anniversaire de celui du milieu !

Un homme est seul sur une île déserte. Enfin presque...
Une brebis lui tient compagnie. Bien entendu, au bout de quelque temps, l'homme commence à désirer sexuellement la brebis. Il tente de l'attraper, mais la brebis a plus de vitalité que lui et ne se laisse pas faire. Tous les jours, l'homme fait une tentative. Tous les jours, il doit essuyer un refus. Un matin, il aperçoit un radeau à la dérive. Il plonge à l'eau et pousse le radeau jusqu'à son île. Sur ce radeau, il a le bonheur de découvrir... Claudia Schiffer ! Il n'en croit pas ses yeux, d'autant que la belle Claudia lui dit :

– Tu m'as sauvé la vie, demande-moi tout ce que tu veux, je le ferai.

– Tout ce que je veux ?

– Oui, même si je dois fermer les yeux pour ça, je le ferai, parce que tu le vaux bien.

– Parfait ! Tu peux me tenir la brebis ?

Je connaissais une jeune femme très vertueuse. Elle a eu le malheur d'épouser un cocu. Maintenant, elle couche avec tout le monde.

Émoustillées par la réputation qu'ont les nains d'avoir une virilité inversement proportionnelle à leur taille, deux amies se laissent draguer par deux d'entre eux et passent la nuit à l'hôtel dans des chambres contiguës.

Le lendemain matin, quand elles se retrouvent, la première dit à l'autre :

– Ma chérie, la rumeur était fausse pour le mien : minuscule et nul. Par contre, toi tu n'as pas dû t'ennuyer. Je t'ai entendu faire toute la nuit : « Et hop ! Et hop ! Et hop ! »

– Tu parles ! Il a commencé par tomber du lit et il a passé toute la nuit à essayer de remonter !

Dans la brousse africaine, un petit singe est très excité. Ne trouvant pas de guenon à aimer, il aperçoit un lion assoupi et décide de se rabattre sur lui. Le lion, sentant quelque chose le chatouiller, ouvre un œil, se retourne et constate ce que le ouistiti est en train de faire. Poussant un énorme rugissement, il bondit sur ses pattes et poursuit le petit singe terrorisé. Pour semer le lion, le singe s'enfonce dans la jungle lorsqu'il aperçoit tout à coup par terre un vieux journal. Il le ramasse, l'ouvre et se cache derrière, immobile. Quelques secondes plus tard, le lion arrive à la hauteur du journal, s'arrête et demande :

– Vous n'auriez pas vu passer un singe ?

– Celui qui a sauté le lion ?

– Mon Dieu ! s'écrie le lion, c'est déjà dans le journal ?

Presque tous les lézards ont perdu leur queue vers le moment où ils atteignent le milieu de leur vie. Il en va de même de la plupart des hommes.

Deux filles devant la cage des singes. La première dit à la seconde :
> – Ils sont épatants, tu ne trouves pas ? il ne leur manque que de l'argent.

Le soir du 1er décembre 1851, quelques heures avant le coup d'État, le comte de Morny était au théâtre.
> – Si l'on donne un coup de balai à l'Assemblée nationale, que ferez-vous, Monsieur de Morny, lui demande une dame qui le connaissait.
> – Je ne sais ce qui arrivera, dit Morny, mais s'il y a un coup de balai, soyez sûre, Madame, que je tâcherai de me mettre du côté du manche.

> – C'est quoi ça, papa, un tabernacle ?
> – C'est là que le Christ se retire quand il est en hostie !

- Never tell a joke, disait cet Anglais, which can lose you a friend, unless the joke is better than the friend.

Ce qui se traduit ainsi en français :

- Ne dites jamais de blague qui puisse vous faire perdre un ami, à moins que la blague ne soit meilleure que l'ami.

Chère Madame Bertrand. J'ai 20 ans, je mesure 5 pieds 4 pouces, je pèse 127 livres et mes mensurations sont de l'ordre de 38-22-36. Croyez-vous que c'est normal ?

- Non, Monsieur. Ce n'est pas normal.

Quelle différence y a-t-il entre un pingouin et un ramoneur de cheminées ?

- Je ne sais pas...
- Un pingouin a le ventre blanc et la queue noire; un ramoneur de cheminées a le ventre noir et une échelle sous le bras.

– Messieurs les Jurés, mon client est accusé de viol.
Quand on y pense sérieusement, un viol est une
chose presque… impossible. Il y a toujours une
part de consentement tacite, car l'expérience a
prouvé qu'une femme, la jupe retroussée, peut
courir bien plus vite qu'un homme, les culottes
baissées !

Une jeune nonnette, tout énervée, se présente au
bureau de la mère supérieure.

– Mère, il y a un homme dans le couvent !
– Ah ! Vous l'avez vu ?
– Non… mais je suis allée aux toilettes et le siège
était levé.

Le juge :

– Vous êtes accusé d'avoir tué votre belle-mère
en la poussant dans le canal Lachine… Malgré
les circonstances atténuantes, je me vois forcé
de vous condamner à 10 $ d'amende pour avoir
pollué le canal.

– Papa, est-ce que les gros poissons mangent des sardines dans la mer ?
– Certainement.
– Ah ! Comment font-ils pour ouvrir les boîtes ?

Une Citroën, ça vous fait penser à quoi ?
– À une putain ! Ça te gêne de te montrer avec elle en public, mais, une fois installé à l'intérieur, tu te sens très bien.

L'agent de police :
– Courez-vous après la mort ? À deux heures du matin, sur une bicyclette sans lumière, à l'envers sur un sens unique... Ça va vous coûter 5 $ d'amende !
– Excusez-moi, Monsieur l'agent, mais je suis un prêtre... J'ai été appelé d'urgence auprès d'un mourant... Voyez : j'ai le Bon Dieu avec moi...
– À part ça, deux sur le bicycle ! 5 $ de plus...

Le défi, pour un compositeur amateur de musique ?
C'est de vouloir présenter un long morceau dans un
con court : plus le morceau est long, plus le con serre
dur !

Un homme téléphone au poste de police :
  – Je viens de tuer un chien sur l'autoroute... Que
    dois-je faire ?
  – C'est simple... Jetez-le dans le champ, de l'autre
    côté de notre clôture !
  – Qu'est-ce que je fais avec la casquette et la
    moto ?

Le juge, au témoin :
  – Veuillez raconter à la cour ce que vous avez vu
    en arrivant sur les lieux de l'accident.
  – D'abord, il y avait déjà plusieurs curieux de ras-
    semblés... En m'approchant, j'aperçois un Drof
    dans le fossé...
  – Un quoi ?
  – Un Drof... C'est un Ford à l'envers...

Un groupe de juifs part à la pêche à bord d'un voilier. Aucun d'eux n'est vraiment un marin. Tout à coup, une tempête s'élève. L'aîné dit à ses compagnons :

– Mes amis, je ne suis pas un loup de mer, mais je crois que c'est la fin... Préparons-nous tous à mourir... Quelqu'un parmi vous se souvient-il d'une prière que nous pouvons adresser à Dieu ?
...

L'un dit :

– Il y a des années que je ne suis pas entré dans une synagogue...

Un autre :

– Il y a longtemps que j'ai oublié tout ça...

Et un autre :

– Attendez ! À Montréal, j'ai demeuré près d'une église catholique... Ils avaient installé des haut-parleurs... alors, je pouvais les entendre prier de chez moi... Je crois que je peux me souvenir d'un bout de prière... À genoux et répétez après moi : B-12, I-27, N-40, G-52, O-71...

Sais-tu comment faire un enfant hypocrite ?

– Oui... par en arrière.
– Un niaiseux ?
– Sais pas.
– Alors, demande à ta mère.

– Qu'est-ce qu'un compromis ?
– Une fiancée…
– Un convaincu ?
– Une femme mariée.
– Un consacré ?
– Une religieuse.
– Un comprimé ?
– La gagnante d'un concours de beauté.
– Un compatriote ?
– Une fille qui couche avec tous les soldats qu'elle
rencontre.

Le docteur va voir la femme qui vient d'accoucher puis
il lui dit :
– Il faut que je vous dise quelque chose à propos
de votre bébé :
La mère inquiète s'assoit dans son lit et demande
au docteur :
– Qu'est-ce qui ne va pas avec mon bébé ?
– Ce n'est rien de grave, c'est juste que c'est diffé-
rent…
– Qu'est-ce que vous voulez dire ?
– Votre bébé est hermaphrodite.
– Hermaphrodite ? Qu'est-ce que ça veut dire ?
– Ça veut dire que votre enfant a les attributs mâles
et femelles.
– Ah Mon Dieu ! Dites-moi pas, Docteur, qu'il a un
pénis puis un cerveau !

Deux amis pêcheurs, décident de faire un concours : lequel des deux va prendre le plus de poissons ? Comme il y a deux lacs différents, ils décident que le premier va pêcher dans l'un et le deuxième, dans l'autre. Le premier matin, les deux pêcheurs se dirigent vers leur lac respectif. À la fin de la journée, ils se retrouvent. Le premier demande à l'autre :

– Puis, tu en as attrapé combien ?

– J'en ai attrapé 23, puis toi ?

– Moi j'en ai pas attrapé un !

Le lendemain, ils recommencent la même gageure. Ils se retrouvent à nouveau le soir. Le premier demande encore au deuxième :

– Puis, tu en as attrapé combien aujourd'hui ?

– J'en ai attrapé 41, puis toi ?

– J'en ai pas attrapé un ! Donne-moi une autre chance. Demain, on y retourne, puis ça va aller mieux.

Le lendemain soir, ils se rencontrent au même endroit; même manège :

– Puis, tu en as attrapé combien ?

– J'en ai attrapé 43, puis toi ?

– 0 !

Le gars qui n'en attrape jamais demande à l'un de ses amis :

– Demain, on retourne à la pêche. Veux-tu le suivre, j'ai l'impression qu'il triche.

Le lendemain, à la fin de la soirée, le gars rencontre son ami qui est allé espionner pour lui et lui demande :

– Puis, est-ce qu'il triche ?

L'ami lui répond :

– Il triche certain, il a fait un trou dans la glace !

Le gars s'en va à confesse et dit au prêtre :

– Mon Père, je m'accuse d'avoir eu une aventure…
   presque.

Le prêtre, étonné, lui demande :

– Qu'est-ce que vous voulez dire… presque ?

– Je vais vous l'expliquer, Mon Père. On s'est dés-
   habillés, on s'est frottés l'un contre l'autre et j'ai
   arrêté.

Le curé lui dit :

– Frotter l'un contre l'autre, c'est comme la mettre dedans ! Il n'est plus question de revoir cette
   femme-là, jamais. Vous direz 3 *Je vous salue Marie*
   puis 3 *Notre Père* et vous mettrez 50 $ dans le
   tronc des pauvres.

L'homme sort du confessionnal, dit ses *Je vous
salue Marie* et ses *Notre Père* et se dirige vers le tronc
des pauvres. Il s'arrête un moment, sort 50 $ et les
frotte sur la boîte. Au moment où il va partir, le curé
arrive et lui dit :

– Je vous ai vu, vous n'avez pas mis l'argent dans
   le tronc des pauvres.

Le gars répond au curé :

– Je l'ai frotté sur la boîte. Vous m'avez dit que
   c'était comme le mettre dedans !

Une femme meurt et monte au ciel. Pendant qu'elle attend en ligne, elle entend crier. Elle demande à saint Pierre ce qui se passe. Saint Pierre lui répond :

– Ce n'est rien, c'est la femme qui était devant de vous, on est en train de lui percer des trous dans le dos pour lui installer ses ailes.

La femme se remet en ligne et entend crier une deuxième fois, encore plus fort. Elle rappelle saint Pierre et lui demande ce qui se passe encore. Saint Pierre lui répond :

– C'est la même femme, là on lui perce des trous dans la tête pour lui installer son auréole.

La femme dit à saint Pierre :

– J'ai changé d'idée, je ne veux pas aller au ciel; je veux aller en enfer.

Saint Pierre, étonné, lui demande :

– Êtes-vous certaine que vous voulez aller en enfer ? C'est un endroit terrible. Vous allez être violée, sodomisée...

– Ça ne me dérange pas, j'ai déjà les trous pour ça !

La femme à son amie :

– La seule raison pour laquelle mon mari aime la pêche à la truite, c'est qu'il aime ça entendre dire : « Wow !, ça c'est une grosse... »

Le gars dans le bar dit :
- Je viens d'être le père d'un bébé de 27 livres. Je paye la traite à tout le monde !

Il reçoit des félicitations de tout le monde. Deux semaines plus tard, il retourne dans le même bar. Le barman le reconnaît et lui dit :
- C'est vous le père du bébé de 27 livres. Il pèse combien aujourd'hui ?

Le père répond :
- 15 livres.
- Comment ça ?
- Ils l'ont circoncis !

Trois gars vont voir un sorcier en espérant pouvoir régler leur problème. Le premier est un fumeur à la chaîne, l'autre est alcoolique invétéré et l'autre est un gai qui veut changer. Le sorcier leur jette un sort en leur disant que si l'un des trois succombe à la tentation, même une seule fois, il va mourir. Deux jours plus tard, l'alcoolique est mort parce qu'il a été incapable de résister à l'alcool. Le lendemain, le gai et le fumeur marchent ensemble sur le trottoir. Le fumeur aperçoit un bout de cigarette par terre. Il s'arrête et le regarde. Le gai lui dit :
- Si tu te penches, on est mort tous les deux !

Un policier arrête un gars en auto. Il s'approche et lui dit :

– Monsieur, j'aimerais que vous souffliez dans l'ivressomètre.

L'homme lui répond :

– Je m'excuse, je suis asthmatique et si je souffle dans l'ivressomètre, je risque la crise d'asthme.

Le policier qui comprend la situation lui dit alors :

– Parfait, venez avec moi au poste, nous allons vous faire une prise de sang.

L'homme lui dit :

– Ah non ! malheureusement, je suis hémophile et si vous me faites une prise de sang, je peux mourir au bout de mon sang.

– Alors, on va faire un test d'urine.

– C'est pas possible, je suis diabétique et je n'ai pas pris mes médicaments aujourd'hui. Le test risquerait d'être totalement faussé.

Le policier finalement lui dit :

– Bon bien, descendez et venez marcher sur la ligne blanche.

– J'peux pas !

– Pourquoi ?

– Parce que je suis paqueté !

Pourquoi est-ce que le gouvernement met les voleurs en prison ?

Parce qu'ils ne veulent pas de concurrence.

Un ivrogne dans le métro lit le journal. Il a la barbe longue, il ne s'est pas lavé depuis plusieurs jours. Il a du rouge à lèvres sur le col de sa chemise et une bouteille de scotch qui sort de son veston. Il lève la tête et aperçoit un curé assis en face de lui. Il lui demande :

- Dites donc, Monsieur le Curé, qu'est-ce qui cause l'arthrite ?

Le prêtre lui répond sèchement :

- C'est causé par l'abus d'alcool, par la fréquentation de femmes aux mœurs légères et par une vie dépravée.

L'ivrogne ne dit plus un mot et se remet à lire. Le curé vient le voir et lui dit :

- Je me suis emporté tout à l'heure. J'ai peut-être été un peu dur avec vous. Ça fait longtemps que vous souffrez d'arthrite ?

- Ah ! c'est pas moi qui souffre de ça. J'ai lu dans le journal que c'est le pape qui est pogné avec ça...

Je connais une vieille fille qui refuse de donner de la monnaie aux aveugles. Elle dit toujours :

- Ça leur apprendra à s'être masturbés quand ils étaient jeunes !

Une très grande femme rencontre un nain dans un parti. Le nain n'a pas plus que trois pieds de haut, mais ils sont attirés l'un vers l'autre. Après quelques verres, ils vont à l'appartement de la dame. Elle dit :

— Je me suis toujours demandé ce que ce serait de faire l'amour avec un nain.

— Déshabille-toi, étends-toi sur le lit, les jambes écartées et ferme les yeux.

La femme fait ce qu'il lui demande et soudainement elle ressent une sensation provoquée par la plus grosse chose qui lui ait été donné de recevoir en elle. En quelques minutes, elle connaît au moins huit orgasmes. Elle s'écrie :

— Arrête, je n'en peux plus tellement c'est bon...

— Tu penses que c'est bon... Attends que je rentre l'autre jambe aussi !

Deux petites filles jasent ensemble. La première :

— J'ai joué au docteur avec Martin, le petit voisin. Ça a duré une heure et quart.

— Une heure et quart ! Ça a duré si longtemps que ça ?

— Oui, il m'a fait attendre 55 minutes dans le corridor !

La mère surprend sa fille en train de jouer avec le petit voisin d'à côté. La mère, enragée, attrape le petit gars par une oreille, le traîne chez lui et engueule sa mère :

– J'ai surpris votre garçon en train de jouer au docteur avec ma fille...

La mère du garçon lui répond :

– C'est tout à fait naturel pour les jeunes d'explorer leur sexualité en jouant au docteur.

– Explorer leur sexualité mon œil, il vient de lui enlever l'appendicite !

Après l'amour :

La prostituée dit :

Et puis chéri, en as-tu eu pour ton argent ?

La maîtresse :

Mon amour, as-tu aimé ça autant que moi ?

La femme :

Blanc... Blanc... On devrait peinturer le plafond blanc !

Qu'est-ce qu'on obtient quand on croise un éléphant avec une prostituée ?

Une guidoune de deux tonnes qui travaille pour des *peanuts*.

Une femme annonce à sa meilleure amie qu'elle souhaite divorcer. Son mari veut toujours faire l'amour
anal. Elle explique :
- Avant, j'avais un rectum comme un 10 cennes;
  aujourd'hui, c'est comme un 2 dollars !
Son amie lui répond :
- Tu ne vas quand même pas divorcer pour
  1,90 $!

Le père et la mère décident que la seule façon de faire
l'amour le dimanche après-midi serait de mettre leur
petit garçon sur le balcon et de lui demander de leur
dire ce qu'il voyait dehors. Le petit gars commence ses
commentaires au moment où ses parents commencent
leurs activités :
- Il y a un camion qui a passé sur une lumière
  rouge et la police est en train de lui donner une
  contravention. Il y a une ambulance qui est sta-
  tionnée au bout de la rue. Les voisins d'en face
  ont de la visite, elle vient d'arriver. Le voisin d'à
  côté se promène avec son bicycle, les Trudel sont
  en train de faire l'amour...
Le père et la mère s'arrêtent et demandent :
- Comment tu sais qu'ils sont en train de faire
  l'amour ?
- Parce que leur petit garçon est sur le balcon lui
  aussi !

Un professeur se tient devant sa classe de philosophie. Il prend un pot, l'emplit de balles de golf et demande à ses élèves si le pot est plein. Les élèves sont tous d'accord, le pot est plein. Le professeur prend des petits cailloux, les vide dans le pot, brasse le pot pour que les cailloux se glissent entre les balles jusqu'au bord et demande aux élèves :

– Maintenant, est-ce que le pot est plein ?

Les élèves sont tous d'accord, le pot est plein. Il prend alors du sable et le vide dans le pot. Le sable s'infiltre entre les balles de golf et les petits cailloux jusqu'au bord.

– Est-ce que maintenant le pot est plein ?

Même réponse affirmative. À ce moment, le professeur prend 2 bouteilles de bière et les verse dans le pot. Le liquide emplit les endroits laissés vacants par le sable, les cailloux et les balles de golf.

– Maintenant, le pot est réellement plein. Écoutez-moi bien. Ce pot représente votre vie. Les balles de golf sont les choses importantes : votre famille, votre santé, vos amis, les choses qui vous tiennent à cœur. Les cailloux sont les choses un peu moins importantes : votre travail, votre maison, votre voiture. Le sable, c'est tout le reste, toutes les petites choses sur lesquelles nous perdons notre temps et qui n'en valent pas vraiment la peine. Si vous mettez le sable d'abord, il n'y a plus de place pour les cailloux et les balles de golf. Dans la vie, c'est la même chose. Si vous dépensez votre énergie pour les petites choses, vous n'avez pas de place pour les choses importantes.

Concentrez-vous sur les choses qui sont néces-
saires à votre bonheur : jouez avec vos enfants,
amenez votre conjoint au restaurant, il restera
toujours assez de temps pour nettoyer la maison,
tondre le gazon. Concentrez-vous sur les balles
de golf d'abord, le reste n'est que du sable !

À ce moment, un élève lève la main dans la classe
et demande :

– Puis la bière là-dedans, ça représente quoi ?
– Ça veut dire que, peu importe ce que tu fais dans
la vie, peu importe combien ta vie est remplie,
il y a toujours de la place pour une couple de
bières.

Le petit gars à sa mère :
– J'étais dans l'autobus avec papa ce matin puis il
m'a dit de donner ma place à la fille.
La mère dit :
– Tu as bien fait.
– J'suis pas sûr... j'étais assis sur les genoux de
papa...

Qui a été le premier comptable ?
Adam, au paradis terrestre, quand il a dit à Ève :
– Tourne la feuille, je veux faire une entrée.

Deux amis parlent ensemble. Le premier dit :
– Je suis sur le point de prendre des vacances, mais cette année, ça va être différent. Les autres années, j'ai suivi ton conseil pour savoir où aller, mais plus maintenant. Il y a trois ans, tu m'as dit : « Va à Hawaii »; je suis allé à Hawaii et Nicole est tombée enceinte. Il y a deux ans, tu m'as dit : « Va aux Bahamas », Nicole est tombée enceinte. L'année passée, tu m'as dit : « Va en Californie », Nicole est tombée enceinte. Cette année, ça va être différent, je l'emmène avec moi !

Un beau jeune se rend à l'hôpital pour y subir une chirurgie mineure. Le lendemain, un de ses amis va le visiter à l'hôpital. Il est surpris de voir combien d'infirmières le jeune a autour de lui. Elles n'arrêtent pas d'entrer dans la chambre pour replacer ses oreillers, refaire son lit, lui apporter quelque chose à boire… Son ami lui demande :
– Comment se fait-il que tu aies autant d'attention ? Pourtant tu as l'air bien.
– Oui, je sais, mais les infirmières ont formé une espèce de fan club quand elles ont appris que ma circoncision avait nécessité 24 points de suture.

Le gars va voir le docteur. Ça n'allait vraiment pas. Après une batterie de tests, le docteur lui dit :
- Vous souffrez de quatre maladies.
- Lesquelles ?
- Vous avez l'herpès, le sida, la gonorrhée et la syphilis.
- Qu'est-ce que vous allez faire avec moi ?
- On va vous rentrer à l'hôpital dans une chambre isolée puis on va vous nourrir avec des crêpes et de la pizza.
- Pourquoi juste des crêpes et de la pizza ?
- Parce que ça se glisse bien sous la porte.

La femme se plaint à son mari :
- J'aimerais ça avoir plus de seins !
- Es-tu folle, deux c'est bien assez !

Le père dit à son garçon :
- Si tu continues à te masturber, tu vas devenir aveugle.
Le fils répond :
- Je suis ici papa !

Le père dit à son garçon :

- Si tu continues à te masturber, tu vas devenir aveugle.

Le fils répond :

- C'est pas grave, je vais continuer tant que je ne porterai pas de lunettes !

Deux petits vieux en train de jaser :

- Dis-moi donc, le mois passé, tu es allé dans une clinique pour la mémoire. Comment ça s'est passé ?

- Formidable ! Ils nous montrent toutes les nouvelles techniques psychologiques, visualisation, association, ça fait une différence énorme.

- C'est formidable, c'est quoi le nom de la clinique ?

Le vieil homme hésite, il pense, il pense encore...

Il n'arrive pas à se rappeler :

- Ehhhhh... Comment t'appelles la fleur rouge avec une longue tige et des épines ?

- Tu veux dire une rose...

- Oui, c'est ça !

Il se retourne vers sa femme et dit :

- Eille Rose ! C'est quoi le nom de la clinique ?

Un vieux couple va voir le docteur pour le bilan de santé annuel. Le docteur dit à l'homme :

– Vous avez l'air en bonne santé, avez-vous un problème médical quelconque ?

– Justement, je voulais vous en parler. Après avoir fait l'amour avec ma femme une première fois, j'ai chaud, je transpire. Puis après avoir fait l'amour avec ma femme une deuxième fois, j'ai froid, je suis gelé.

– C'est curieux, je vais examiner ça puis je vais vous revenir.

Il fait entrer la femme :

– Je viens de parler avec votre mari, il m'a dit qu'après avait fait l'amour une première fois, il avait chaud et il transpirait, puis qu'après une deuxième fois, il avait froid et il était gelé. Savez-vous pourquoi ?

– Je le sais certain. Le vieux maudit, c'est que la première fois, c'est en été puis la deuxième fois, c'est en hiver !

Un couple est à l'hôtel et l'homme demande à sa femme :

– Chérie, est-ce que je pourrais prendre une photo de toi nue ? c'est pour un souvenir.

– Vas-y mon chéri. Moi aussi je voudrais prendre une photo de toi nu...

– Pour un souvenir ?

– Non, pour un agrandissement !

Pourquoi la pêche c'est mieux que le sexe :

Quand tu vas pêcher, si tu pognes quelque chose, c'est bon; en amour, si tu pognes quelque chose, c'est pas bon.

Les poissons ne te comparent pas à un autre pêcheur et ils ne veulent pas savoir combien tu en as pogné avant.

Les poissons, ça ne les dérange pas si tu t'endors pendant que tu pêches.

Madame avait été déçue à Noël parce qu'elle s'attendait à recevoir une voiture sport et qu'elle ne l'a pas eue.

Demain, c'est son anniversaire et elle dit à son mari :

– Demain, j'suis mieux de trouver quelque chose dans le garage qui va de zéro à 200 en moins de 5 secondes...

Le lendemain, son mari lui a laissé une balance dans le garage.

Pourquoi un homme ne peut pas attraper la maladie de la vache folle ?

Parce que c'est tous des cochons !

Un gars va voir son patron :
- Demain patron, ma femme veut faire un grand ménage de la maison. Elle a besoin de moi pour vider le grenier, pour le ménage au complet du garage et pour changer les meubles de place. Est-ce que je peux prendre ma journée ?

Le patron, choqué, lui répond :
- Il n'en est pas question. On manque de personnel, j'ai besoin de vous, vous ne pouvez pas vous absenter.
- Merci patron, je savais que je pouvais compter sur vous !

Un juif avait entendu dire qu'un nouveau bordel venait d'ouvrir en ville et que le tarif était de 50 $ pour la première visite et de 25 $ pour les visites subséquentes. Il décide de s'y rendre et il frappe à la porte. Lorsque la tenancière vient ouvrir, il lui dit :
- Bonsoir, c'est encore moi !

- Quelle est la différence entre un billet de 100 $ et un policier ?
- Aucune, ils ne sont jamais là quand on en a besoin !

Deux gars prennent un verre au bar et discutent. Le premier dit à l'autre :

– Dis-moi, est-ce que tu sais faire un 8 avec ta bouche ?

– Euh… non, pourquoi ?

– Ah non ? Bien, une poule est plus intelligente que toi !

– Comment ça ?

– Parce qu'elle sait faire un 9 avec son cul !

– Quelle est la meilleure caresse d'une belle-mère ?

– Caresse donc chez elle !

– Bonjour, Docteur, je perds la mémoire.

– Ah oui, depuis quand ?

– Depuis quand quoi ?

Définition de la calvitie : cheveu intelligent qui quitte une tête folle.

Deux blondes se trouvent de chaque côté d'une rivière. La première crie à l'autre :
> – Comment on fait pour aller de l'autre côté de la rivière ?

L'autre lui répond :
> – Épaisse, t'es déjà de l'autre côté !

Conseil pour femmes :
> Les cinq secrets d'une relation fructueuse :
> **1.** Il faut trouver un homme qui a un bon emploi et qui participe aux tâches ménagères;
> **2.** Il faut trouver un homme qui vous fait rire;
> **3.** Il faut trouver un homme qui ne vous ment pas et sur qui vous pouvez compter;
> **4.** Il faut trouver un homme qui soit bon baiseur et qui adore vous faire l'amour;
> **5.** Il ne faut jamais que ces quatre hommes se rencontrent !

Ce qu'il y a de bien avec la maladie d'Alzheimer, c'est que chaque jour on rencontre des gens nouveaux !

Charade :
    Mon premier est un liquide.
    Mon deuxième est un liquide.
    Mon troisième est un liquide.
    Mon tout est un liquide, qui suis-je ?
    Café au lait (café – eau – lait)

À la campagne, un gars conduit sa voiture sur une route de montagne sinueuse. À un moment, une voiture conduite par une femme vient en sens inverse. Au moment où ils se croisent, la femme sort sa tête de la fenêtre et lui crie : « Cochon ! ». L'homme, insulté, sort sa tête et lui crie : « Salope ! ».

Les deux continuent leur route, mais dès que l'homme passe le virage suivant, il frappe un gros cochon qui était au milieu de la route et sa voiture va s'écraser dans les rochers.

Moralité : Les hommes devraient toujours écouter les femmes !

Une femme se met à saigner du nez. Elle sort un mouchoir de son sac pour s'essuyer et dit :
    – J'ai vraiment pas de chance, quand c'est pas d'un côté, c'est de l'autre...

Deux amis se rencontrent. Le premier a l'air triste à mourir. Le deuxième lui demande :

    – Qu'est-ce qui t'arrive, as-tu perdu quelqu'un ?

    – Non, au contraire, je vais être papa...

    – Puis c'est pour ça que tu fais une tête pareille ?

    – Oui... j'sais pas comment le dire à ma femme...

De nos jours, 80 % des femmes sont contre le mariage. Elles ont enfin compris que, pour avoir une livre de saucisses dans le réfrigérateur, il n'est pas nécessaire d'acheter le cochon au complet !

Le professeur dit à ses élèves :

    – Demain, on va avoir la visite du directeur. Il faut faire bonne impression. Quand il va vous poser une question, je veux que tout le monde lève la main sans exception. Mais on va se donner un code très simple. Ceux qui connaissent vraiment la réponse vont lever la main droite et ceux qui ne la connaissent pas vont lever la main gauche. Et moi je vais choisir...

Un gars va voir son meilleur ami à l'hôpital et lui dit :
- C'est incroyable, qu'est-ce qui t'est arrivé ? Hier soir, je t'ai vu en super forme en train de boire un verre avec une belle fille !
- Justement, ma femme aussi...

Année 1981 :

Le prince Charles s'est marié;
Liverpool a été champion d'Europe au football;
Le pape est décédé.

Année 2005 :

Le prince Charles s'est marié;
Liverpool a été champion d'Europe au football;
Le pape est décédé.

Si le prince veut se remarier et que Liverpool est en finale de la ligue de football, vous avertirez le pape !

Comment dit-on témoin de Jéhovah en chinois ?
Ding Dong.

Le patient dit au docteur :
- Il faut que vous m'aidiez, je subis beaucoup de stress en ce moment. Tellement que je perds patience tout le temps.

Le docteur lui répond :
- Parlez-moi de votre problème...
- J'viens de te le dire gros tabar...

Un gars demande à un journaliste :
- Quelle est votre rubrique ?
- La pêche.
- Ah oui, et comment on vous paye ?
- À la ligne.

La femme surprend son mari en train de feuilleter le Playboy. Furieuse, elle lui dit :
- C'est là que je te pogne à regarder les filles dans le Playboy.
- Laisse-moi donc tranquille, tu l'sais que j'achète le Playboy pour les articles.
- Ben oui, puis moi je vais au centre d'achat pour écouter la musique.

Un homme en voyage d'affaires s'inscrit à l'hôtel. Il s'ennuie et tombe sur une annonce dans la colonne « escorte et massage » du journal. Il compose le numéro de téléphone d'une fille qui se fait appeler Fifi la blonde. Dans l'annonce, il y a même la photo dans une pose exotique. Elle a de longs cheveux blonds bouclés, de longues jambes et un buste rempli de promesses... Une voix de femme lui répond :

– Allô !

Déjà, il trouve que la voix est sexy.

– Allô, j'ai entendu dire que vous donnez des massages formidables. Je voudrais que vous veniez m'en donner un. Même, je vais être franc avec vous, je suis seul en ville, et ce que je veux vraiment, c'est une aventure érotique. Quelque chose de « hot », quelque chose de porno au max, sans limites, toute la nuit. Apporte tes « dildos », tes fouets, tout ce que tu voudras. Tu vas pouvoir m'arroser de sauce au chocolat, de crème fouettée... Qu'est-ce que tu en penses ?

La téléphoniste lui répond :

– Ça peut être ben l'fun, mais pour une ligne extérieure, il faut d'abord composer le 9.

Au restaurant :

– Le potage maison, est-ce que ça va être encore bien long ?

– Ce sera pas long, je cherche l'ouvre-boîte...

Le gars va voir son ophtalmologiste pour un examen de la vue. Le médecin examine ses yeux et, au milieu de l'examen, il lui dit :

– Il faut que vous arrêtiez de vous masturber.
– Pourquoi, est-ce que je vais devenir aveugle ?
– Non, c'est parce que vous dérangez les autres patients dans la salle d'attente.

Le gars est malade et incapable d'aller travailler ce jour-là. Le lendemain, il dit à son ami : je suis resté à la maison toute la journée, ça m'a permis de voir à quel point ma femme m'aime. Elle était tellement contente que je sois là que, quand le laitier, le postier et le boulanger sont venus, elle arrêtait pas de crier : « Mon mari est à la maison ! Mon mari est à la maison ! »

Le mari sort de la salle de bain tout nu et, au moment où il va se coucher, sa femme lui dit :

– J'ai mal à la tête.
– Pas de problème, je viens juste de me saupoudrer le pénis avec de l'aspirine. Tu peux la prendre oralement ou en suppositoire, c'est toi qui décides!

Lors d'une enquête sur les habitudes sexuelles des Québécois, un sondeur téléphone à un monsieur :

— Bonjour, vous avez répondu par écrit la semaine dernière à notre questionnaire et à la question « Combien de fois par semaine faites-vous l'amour ? » vous avez répondu : « deux fois par semaine »; d'un autre côté, votre femme a répondu : « plusieurs fois par soir ».

L'homme lui répond :

— C'est ça, puis ça va rester de même tant que l'hypothèque ne sera pas payée.

Un sondeur passe de porte-à-porte à propos des habitudes sexuelles. Il frappe à la porte, un monsieur ouvre et il lui demande :

— Combien de fois par semaine faites-vous l'amour à votre femme ?

— Trois fois par semaine.

— C'est une fois de plus que votre voisin.

— C'est normal; après tout, c'est ma femme !

C'est un tire-bouchon qui va voir son docteur :

— Docteur, c'est normal que, quand j'approche d'une bouteille, la tête me tourne ?

Le bonhomme est en train de mourir, sa femme est à ses côtés. Il la regarde et lui dit faiblement :

– J'ai une confession à te faire…

– Non, non…

– J'insiste, je veux mourir en paix. J'ai couché avec ta sœur, j'ai couché avec ta meilleure amie, sa meilleure amie et j'ai même couché avec ta mère.

– Je le sais, je le sais, dors puis laisse le poison faire son effet…

Le petit Serge reste avec sa grand-mère pour quelques jours. Il joue dehors avec les petites voisines. Il entre dans la maison et demande à sa grand-mère :

– Quand deux personnes dorment dans la même chambre et qu'un est couché au-dessus de l'autre, comment on appelle ça ?

La grand-mère, surprise, mal à l'aise, ne sait pas quoi dire et finalement décide de lui dire la vérité :

– Ça s'appelle des relations sexuelles.

– Parfait, merci.

Et il retourne jouer dehors avec les petites voisines. Quelques minutes plus tard, il revient choqué et dit à sa grand-mère :

– Ça s'appelle pas des relations sexuelles, ça s'appelle des lits superposés… puis la mère des petites voisines veut te parler…

La petite fille va voir sa mère après l'école et lui dit :
- J'ai vu le petit Marco tout nu, c'était comme une
  peanut.
Sa mère lui répond :
- C'était si petit que ça...
- Non, c'était salé !

Le petit Alain, rentre dans la chambre et voit son père
assis sur le bord du lit en train d'enfiler un condom.
Le père d'Alain essaie de cacher son érection avec le
condom, se penche, comme s'il regardait en dessous
du lit. Le petit Alain lui demande :
- Qu'est-ce que tu fais ?
Le père répond :
- Je pense que j'ai vu un rat passer en dessous du lit.
- Qu'est-ce que tu veux faire, le fourrer ?

Le gars entre dans un bar. Au bout d'un moment, il
ramasse une fille et l'emmène chez lui. Il commence
les préliminaires et lui dit :
- Écoute, fais-moi un 68.
- C'est quoi un 68 ?
- Fais-moi une pipe puis je t'en devrai une.

Un gars dans un bar rencontre une fille à son goût. Il décide de l'emmener chez lui. Tout le long du chemin, il ne dit pas un mot. Une fois à la maison, même chose, pas un mot. Elle lui dit :

– T'es pas du genre très jasant...

À ce moment, il baisse sa braguette, sort son engin et dit :

– Moi, c'est avec ça que je fais la conversation !

– J'te regarde, t'as pas grand-chose à dire...

Deux ivrognes sont à la porte d'un bordel. Le premier dit à l'autre :

– J'ai entendu dire que les guidounes qui travaillent ici souffrent de la gonorrhée, ont des morpions, sont sales comme des truies puis qu'elles sont voleuses au coton...

– Ferme ta gueule, pas si fort, elles ne nous laisseront pas entrer !

– Vous voulez pas vous asseoir pépère ?

– Non, merci mon garçon, je descends au prochain stop.

– Assoyez-vous quand même pépère; on n'est pas dans l'autobus, on est dans le parc !

Ça se passait à la campagne, à l'époque des bécosses.
Le petit Marcel, tannant comme d'habitude, en jouant,
a fait basculer la bécosse qui était installée en haut de
la colline. Un peu plus tard, son père l'apostrophe :

> – C'est toi Marcel qui a sacré la bécosse en bas de
> la colline ?
> – Non papa, non...
> – Raconte-moi pas de menteries Marcel, je le sais
> que c'est toi, ça peut être personne d'autre. Rap-
> pelle-toi Georges Washington qui n'a jamais
> menti de sa vie. Quand son père lui a demandé :
> « Est-ce que c'est toi, Georges, qui as coupé le
> cerisier avec ta hache ? » Georges a répondu :
> « Je ne peux pas mentir, c'est moi ». Son père ne
> l'a pas battu parce qu'il avait dit la vérité. Alors,
> je te demande Marcel, c'est-tu toi qui as sacré la
> bécosse en bas de la colline ?
> – Oui papa, c'est moi...

Il a mangé la plus maudite volée de sa vie. Marcel,
surpris, dit à son père en pleurant :

> – Quand Georges Washington a dit à son père que
> c'est lui qui avait coupé le cerisier, son père ne l'a
> pas battu. Pourquoi tu m'as sacré une volée ?
> – Parce que, quand Washington a coupé le cerisier,
> son père n'était pas dedans, mais quand tu as
> maudit la bécosse en bas de la côte, moi j'étais
> dedans !

Le gars dit à son chum :
- J'aurais dû écouter ce que ma mère me disait quand j'étais petit.
- Qu'est-ce qu'elle te disait ?
- Je ne le sais pas, je n'écoutais pas.

Comment savoir si votre mari est dans la maison ?
Vous n'avez pas accès à la télécommande de la télévision.

Depuis que j'ai demandé sa main, j'ai jamais eu autant besoin de la mienne...

Comment reconnaît-on un gangster newfie ?
Quand il attaque un casino, il part avec les jetons.

```
26.-09.-07
≥ 142.0

02  *16.95              FM
    *16.95        ST
     *1.02        PE
    *17.97        
    *20.00        CA TL
     *2.03        CG
40 3,5
16-21
```

Si vous voulez faire travailler un député, ne le réélisez pas.

Un gars rend visite à un de ses amis newfie qui vient d'être père. L'homme regarde le bébé en admiration :
- Il est tellement beau, ça lui fait quel âge ?
- 15 jours.
- Puis comment s'appelle-t-il ?
- On ne le sait pas, il ne parle pas encore...

Une femme de 80 ans est arrêtée et passe en cour pour vol à l'étalage. Le juge lui demande :
- Qu'est-ce que vous avez volé ?
- Une boîte de pêches en conserve.
- Pourquoi vous avez volé ça ?
- Parce que j'avais faim...
- Il y avait combien de pêches dans la boîte ?
- Six, Monsieur le Juge.
- Parfait, je vous condamne à six jours de prison.
Au même moment, son mari se lève et dit au juge :
- Elle a volé une boîte de petits pois aussi !

Le vieux sur son lit de mort, sa femme à ses côtés... Il lui demande :

— Écoute, je suis à la veille de mourir, il y a une chose que j'aimerais savoir. M'as-tu déjà trompé ? Tu peux me dire la vérité, ça changera rien de toute façon. Je vais être mort dans peu de temps...

— Écoute bien, te rappelles-tu quand tu as voulu acheter la maison, il y a bien des années, tu avais demandé une hypothèque. Le gérant hésitait. Il t'avait demandé de revenir le voir trois jours plus tard. Tu te rappelles, quand tu étais retourné le voir, tu l'avais eue, ton hypothèque. Je m'en étais occupée...

— Je comprends, c'était pour une bonne cause... Mais c'est-tu la seule fois où tu m'as trompé ?

— Tu te rappelles une année, au bureau où tu travaillais, ton patron avait décidé de faire un grand ménage, il avait mis quasiment tout le monde dehors ? Toi, tu avais gardé ta job... Je m'en étais occupée...

— Évidemment... Mais c'est-tu les deux seules fois où tu m'as trompé ?

— Te rappelles-tu la fois que tu voulais devenir président de ton club de golf puis qu'il te manquait 52 votes ?

Dans la vie, visez toujours le numéro 1 et faites attention de ne pas piler dans le numéro 2 !

Une jeune fille est sur le point d'accoucher. Juste avant d'entrer dans les contractions, la sage-femme lui demande si elle désire que son mari soit présent à la naissance de son enfant. La jeune fille lui répond qu'elle n'a pas de mari. La sage-femme lui demande alors :

– Avez-vous un chum ?

– Non, je n'ai pas de chum non plus.

– Avez-vous un partenaire ?

– Non, pas de partenaire. Je ne suis engagée avec personne, je vais avoir mon bébé seule.

Après la naissance, la sage-femme dit à la jeune fille :

– Vous venez d'avoir un beau petit garçon, mais je dois vous dire qu'il est noir.

La jeune fille s'explique :

– C'est arrivé dans une période difficile de ma vie. J'avais besoin d'argent, je n'avais pas d'endroit où vivre et j'ai accepté un rôle dans un film porno. La vedette masculine était noire.

– Je comprends, de toute façon, ce n'est pas de mes affaires, mais il faut que je vous dise aussi que le bébé a les cheveux blonds.

– C'est normal, parce que la covedette était un Suédois.

– C'est vraiment pas de mes affaires, mais il faut que je vous dise aussi que le bébé a les yeux bridés.

– Bien oui, il y avait un Chinois dans le film… J'avais pas le choix.

À ce moment, la sage-femme présente le bébé à la mère qui aussitôt se met à pleurer. La mère dit :

– Merci Mon Dieu ! J'suis bien contente…

– Contente pourquoi ?

– J'avais tellement peur qu'il se mette à japper !

Le mari demande à sa femme :
- Qu'est-ce que tu fais avec l'argent que je te donne pour l'épicerie ?
- Tourne-toi de côté et regarde dans le miroir...

Je suis allé dans une réunion pour les éjaculateurs précoces. La réunion était à 7 h. Je suis arrivé à 7 h 15 et tout le monde était parti !

Il y a un gars que je connais, c'est un idiot. Il fume trois paquets de cigarettes par jour et il ne veut pas arrêter. Comme excuse, il dit toujours :
- Pourquoi j'arrêterais de fumer ? on peut mourir de n'importe quelle façon. Tu peux traverser la rue un jour et te faire frapper par un autobus...
Moi je lui ai dit :
- C'est ça niaiseux, si t'arrêtais de fumer, tu pourrais traverser plus vite !

Quand j'étais petit, j'étais assez laid : quand je jouais dans le carré de sable, les chats m'enterraient.

Toute sa vie, le petit Maurice avait entendu l'histoire de la tradition de famille. Il semble que son père, son grand-père et son arrière-grand-père ont été capables de traverser le petit lac derrière chez eux, en marchant sur l'eau, à leur 21e anniversaire de naissance. Ce jour-là, ils se rendaient à pied à la marina pour leur souper de fête. Alors, le jour de ses 21 ans, Maurice se rend au bord du lac, prend la chaloupe et se rend au milieu du lac; il débarqua de la chaloupe et il coule à pic. Il réussit de peine et de misère à remonter dans la chaloupe. Choqué et déçu il va voir sa grand-mère :

– Grand-maman, c'est mon 21e anniversaire, comment ça se fait que je ne suis pas capable de traverser le lac à pied comme mon père, grand-papa et arrière-grand-papa ?

– Parce que, maudit niaiseux, ton père, ton grand-père puis ton arrière-grand-père sont venus au monde en janvier puis que toi, t'es venu au monde en juillet !

Le gars entre au restaurant et demande à la serveuse :

– Qu'est-ce qu'il y a de spécial aujourd'hui ?

– On a des langues de bœuf, des langues de porc...

– Comment des langues de bœuf, des langues de porc ? pensez-vous que je vais manger quelque chose qui sort de la bouche d'un animal...

– Alors, qu'est-ce que vous voulez ?

– Apportez-moi deux œufs !

Dans un nouveau restaurant, un client remarque que le garçon qui vient prendre sa commande a une cuillère dans sa poche de chemise. Le garçon qui lui apporte l'eau et le pain a également une cuillère dans sa poche de chemise. Intrigué, quand le garçon revient avec son repas, il lui demande :

– J'ai remarqué que vous aviez tous une cuillère dans votre poche de chemise. Comment ça se fait ?

– Je vais vous expliquer, Monsieur : le patron du restaurant a chargé une firme de consultants des États-Unis de trouver des moyens pour nous rendre plus efficaces et perdre le moins de temps possible. Par exemple, ils ont découvert que la cuillère était l'ustensile qu'on échappait le plus par terre pendant le service. Alors, au lieu de retourner dans la cuisine pour en chercher une autre, on en a déjà une dans notre poche; ça sauve du temps.

Le client remarque aussi que dans la braguette de son pantalon, il y a une corde qui dépasse. Il demande aussitôt au garçon :

– J'ai remarqué que vous avez une corde qui dépasse de votre braguette, comment ça se fait ?

– C'est encore une trouvaille de la firme américaine. Quand on va à la toilette, on n'a qu'à tirer sur la corde, ça nous empêche de la toucher et d'être obligés de nous laver les mains.

– Je comprends, mais comment vous faites pour la remettre à sa place ?

– Les autres, je ne le sais pas, mais moi je prends la cuillère.

Un magasin où une femme peut se choisir un mari vient d'ouvrir à New York. À la porte, on peut lire les instructions, à savoir comment le magasin opère. Vous ne pouvez visiter le magasin qu'UNE SEULE FOIS. Il y a six étages et les attributs des hommes augmentent d'un étage à l'autre. Cependant, une condition s'applique. Vous pouvez choisir n'importe quel homme d'un étage donné ou choisir de monter d'un étage, mais vous ne pouvez redescendre à moins que ce ne soit pour sortir de l'immeuble.

Une femme s'amène au magasin pour se trouver un mari. À chaque étage du magasin, il y a un écriteau. Elle se présente au premier étage et lit sur l'écriteau :

Premier étage :
« Ces hommes ont un emploi. »

Elle monte au deuxième et lit l'écriteau :
Deuxième étage :
« Ces hommes ont un emploi et aiment les enfants. »

Elle décide de monter au troisième et lit l'écriteau :
Troisième étage :
« Ces hommes ont un emploi, aiment les enfants et paraissent bien. »

La femme dit : « Wow ! », mais elle se sent obligée de continuer;elle se rend à l'étage suivant et lit l'écriteau :

Quatrième étage :

« *Ces hommes ont un emploi, aiment les enfants,
paraissent bien et aident aux travaux ménagers.* »

C'est de mieux en mieux pense-t-elle et elle monte
au cinquièmeétage où l'écriteau indique :

Cinquième étage :

« *Ces hommes ont un emploi, aiment les enfants,
sont plus beaux, font les travaux ménagers et
sont très romantiques.* »

Elle est tentée de rester là, mais elle se présente
au sixième étage et, sur l'écriteau, elle peut lire :

Sixième étage :

« *Vous êtes la 31 460 122ᵉ femme à visiter cet étage.
Il n'y a pas d'hommes à cet étage. Cet étage
existe seulement pour prouver qu'il est impossible de satisfaire une femme. Merci de magasiner
au magasin de maris.* »

J'ai eu toute une enfance. J'avais 10 ans quand j'ai réalisé que du Dʳ Ballard c'était du manger à chien.

J'étais triste parce que je n'avais pas de souliers, jusqu'au jour où j'ai rencontré un homme qui n'avait pas
de pieds. Je lui ai dit :

– As-tu des souliers dont tu ne te sers pas ?

Un avocat réputé stationne sa nouvelle Lexus devant son bureau, prêt à en faire étalage à ses collègues de bureau. Au moment où il sort de l'auto, un camion arrive trop près et arrache la porte du conducteur. Heureusement, une voiture de police est tout près et s'arrête derrière la Lexus. Avant même que le policier puisse poser une question, l'avocat commence à crier de façon hystérique à propos de sa Lexus :

– C'est écœurant, ma Lexus, je viens de l'acheter, je l'ai eue hier... aujourd'hui, elle est en ruine. Personne ne pourra me la réparer pour qu'elle soit comme avant !

Le policier lui dit :

– Je ne peux pas croire à quel point vous êtes matérialistes, vous les avocats. Vous pensez rien qu'au matériel, puis vous oubliez les choses importantes de la vie !

– Qu'est-ce qui te fait dire ça ?

Le policier dit :

– Vous n'avez même pas réalisé que votre bras gauche est parti, qu'il a été arraché par le camion.

L'avocat s'écrie :

– Ah ! Mon Dieu ! ma Rolex...

Avec un condom, t'es pas à l'épreuve de tout. La preuve, un de mes amis en portait un et il s'est fait écraser par un camion.

Depuis le scandale à Ottawa, c'est très sévère : quand tu achètes un politicien, il faut que tu gardes ton reçu.

Si ce n'était pas de la peine de mort, Pâques n'existerait pas !

Je connais deux frères siamois qui sont déménagés en Angleterre pour que l'autre puisse conduire.

Quand j'étais bébé, mon père me prenait dans ses bras, il me lançait dans les airs et... allait répondre au téléphone.

Je suis allergique à la ouate. Quand je veux prendre mes pilules, je ne suis pas capable de les sortir de la bouteille.

Avez-vous entendu parler du couple qui a fait l'amour dans l'avion ?

C'est le gars dans le siège du milieu qui s'est plaint ?

Les Canadiens dépensent 200 millions de dollars par an dans les jeux de hasard et ça n'inclut pas les mariages et les élections...

Avoir des cheveux gris, c'est formidable; demandez à n'importe quel chauve.

J'ai vu un gars qui faisait du pouce et qui portait un écriteau indiquant « Au ciel »; alors, je l'ai frappé !

On vit dans une maison mobile. Ça a des avantages. L'autre jour, le feu a pris, on a rencontré les pompiers à moitié chemin !

Si un policier arrête un mime, est-ce qu'il est obligé de lui dire qu'il peut garder le silence ?

Donald Trump a nommé sa fille Tiffany en l'honneur de la célèbre bijouterie new-yorkaise. Moi je trouve ça ridicule. J'en parlais avec mes deux filles Zeller's puis Wal-Mart.

Quand je pense au passé, ça me rappelle des souvenirs.

La vie, c'est comme une équipe de chiens de traîneau. Si t'es pas le chien d'en avant, le paysage ne change jamais...

George W. Bush s'est entouré de gens intelligents, de la même façon qu'un trou s'entoure du beigne.

Deux filles jasent ensemble. L'une dit à l'autre :
- Tu as l'air fatiguée, es-tu sortie hier soir ?
- Oui, puis en revenant, j'ai trouvé une lampe magique et un génie en est sorti. Il m'a dit qu'il pouvait exaucer un vœu. Il m'a dit que je pourrais avoir une mémoire extraordinaire ou qu'il pourrait donner à mon chum un plus gros pénis.
- Puis, qu'est-ce que tu as choisi ?
- J'm'en rappelle pas...

- J'invite pour ma fête.
- Ça me fait plaisir, c'est quand ?
- C'est samedi prochain.
- Écoute, j'ai jamais été chez vous, où est-ce que tu demeures ?
- 1140, rue des Épinettes, appartement 23. En arrivant, tu pousses la porte avec ton pied. Puis avec ton coude, tu appuies sur le bouton deux dans l'ascenseur.
- C'est quoi l'idée de pousser la porte avec mon pied et d'appuyer sur le bouton d'ascenseur avec mon coude ?
- Tu vas tout de même pas arriver les mains vides !

Une jeune fille qui croyait avoir un surplus de poids va voir un diététicien. Aussitôt arrivée, elle pose des questions concernant les diètes, les exercices et une foule d'autres choses. Sa dernière question éveille l'intérêt du diététicien. Elle lui demande :

– Combien y a-t-il de calories dans le sperme ?

Elle lui explique alors certaines de ses préférences sexuelles. Après quelques instants de réflexion, il lui dit :

– Je ne le sais réellement pas, mais si vous en consommez autant, il n'y a pas un gars qui va se plaindre que vous soyez un peu grassette.

Deux filles qui jasent ensemble. La première dit à l'autre :

– Je ne peux pas être plus heureuse que ça, j'ai deux chums. Le premier est fabuleux, beau, sensible, affectueux et attentionné.

– Pourquoi as-tu besoin de l'autre ?

– L'autre est hétéro.

Un gars dit à l'autre :

– Ça fait 15 jours que je n'ai pas parlé à ma femme.

– Pourquoi ?

– Je ne veux pas l'interrompre...

Un jour, une femme et son mari sont dans le lit en train de faire l'amour; soudainement, une guêpe entre dans la chambre. Comme la jeune femme avait les jambes écartées, la guêpe s'introduit dans la partie intime de madame. La femme commence à crier : « Aide-moi, j'ai une guêpe à l'intérieur ». Immédiatement, le mari emmène la femme chez le médecin et lui explique la situation. Le docteur dit alors :

    – C'est un cas délicat, mais je pense que j'ai la solution à votre problème... si Monsieur me permet.

Le mari, inquiet pour sa femme, est prêt à accepter n'importe quelle méthode proposée par le médecin pour la débarrasser de cette guêpe. Alors, le docteur explique :

    – Je vais mettre du miel au bout de mon pénis et pénétrer votre femme. Quand je vais sentir la guêpe, au bout de mon pénis, je vais me retirer lentement en espérant que la guêpe suive et sorte de sa cachette.

Le mari accepte. La femme dit qu'elle est prête à tout pour se débarrasser de la guêpe. Alors, le docteur s'exécute. Il verse du miel et commence le traitement. Après quelques légers coups, le docteur dit :

    – J'ai l'impression que la guêpe n'a pas encore senti le miel... Je devrais probablement aller plus profondément.

Après un moment, le docteur met plus d'ardeur à son traitement et la femme commence à se sentir excitée et se met à émettre des plaintes de satisfaction en murmurant : « Oh ! Docteur... Docteur... » Le docteur, très concentré, a l'air d'apprécier beaucoup le traitement. Le mari qui remarque la chose s'écrie :

– Un instant, qu'est-ce que vous faites ?

Le Docteur lui répond :

– J'ai changé d'idée, je vais la noyer la maudite !

Un gars entre dans une clinique pour une prise de sang. La garde s'installe et lui prélève un échantillon de sang au bout du doigt. Après, elle cherche un papier-mouchoir pour essuyer le surplus de sang au bout de son doigt. Comme elle n'en trouve pas, elle le regarde, lui prend le doigt et le suce innocemment. Le gars lui demande :

– Pensez-vous que je pourrais avoir un test d'urine ?

Un jour, un jeune homme demande à son père :

– Papa, il y a combien de sortes de seins ?

– Mon garçon, il y a trois sortes de seins. Dans la vingtaine, ils sont comme des melons, ronds et fermes. Dans la trentaine et la quarantaine, ils sont comme des poires, encore jolis, mais qui pendent un peu. Après 60 ans, comme des oignons...

– Comme des oignons ?

– Oui, tu les regardes, puis ça te donne le goût de brailler !

Madame Bergeron a engagé une bonne, belle fille aux cheveux blonds. Le premier matin, elle la complimente sur sa coiffure. La fille lui dit :

– Madame, je vais vous faire un aveu : je porte une perruque, je n'ai pas de cheveux. Non seulement je n'ai pas de cheveux, je n'ai aucun poil sur le corps.

– Vous voulez dire, nulle part ?

– Nulle part, je suis née comme ça. Complètement imberbe.

Le soir, la femme raconte ça à son mari :

– Tu sais, la bonne qu'on vient d'engager, elle m'a dit qu'elle était imberbe, aucun poil nulle part.

Le mari lui répond :

– J'n'ai jamais vu ça. Demain, emmène-la dans la chambre et demande-lui de te montrer ça. Je vais me cacher dans la garde-robe pour pouvoir regarder.

Le lendemain, madame Bergeron demande à sa bonne de se déshabiller, comme son mari voulait. Les deux femmes se rendent dans la chambre. La bonne se déshabille et ensuite, elle dit à la dame :

– Moi de mon côté, je n'ai jamais vu de ma vie une femme nue qui n'était pas imberbe.

Madame Bergeron se déshabille pour faire plaisir à la bonne. Le lendemain, la femme dit à son mari :

– J'espère que t'es content, parce que j'étais pas mal gênée quand elle m'a demandé de me mettre toute nue.

– Tu penses que tu étais gênée. Je l'étais bien plus, j'étais caché avec trois de mes chums dans la garde-robe !

J'ai lu qu'en Afrique, pour trois dollars par mois, tu pouvais nourrir un enfant. J'ai envoyé les deux miens !

Quelle est la différence entre une prostituée et le club de hockey Canadien ?

Au moins, la prostituée arrive à faire quatre passes d'affilée.

Le jeune garçon demande à sa mère :
- Maman, dans une relation sexuelle, qui a le plus de plaisir, l'homme ou la femme ?
- La femme. Quand tu te grattes l'oreille avec ton petit doigt, qui a le plus de fun, le doigt ou l'oreille ?

Le jeune homme chez le médecin, gêné, dit :
- Mon ami a un problème. Il pense qu'il a une maladie vénérienne.
Le docteur lui répond :
- Baisse ton zipper, puis montre-moi ton ami...

Un gars va voir le médecin, car il a une énorme bosse qui lui pousse au milieu du front. Après plusieurs analyses, le médecin lui explique :

– Il y a un deuxième pénis qui vous pousse en plein front et malheureusement, comme il est trop près du cerveau, on ne pourra pas vous opérer ou faire quoi que ce soit pour en arrêter la formation.

Le gars, découragé, demande au médecin :

– Vous voulez dire que tous les matins, je vais me lever, me regarder dans le miroir et voir un pénis qui me pousse dans le front ?

– Non, vous ne verrez pas ça...

– Comment ça ?

– De la façon que le pénis est placé, vous verrez rien, les deux testicules vont vous tomber devant les yeux !

Un gars à la campagne s'aperçoit que dans l'arbre près de sa maison, il y a un ours qui est accroché sur une grosse branche en haut. Il appelle un spécialiste qui s'amène avec son chien et sa carabine. Le spécialiste dit au gars :

– Je vais monter dans l'arbre, secouer la branche pour que l'ours tombe. S'il tombe, lâche le chien, il va lui mordre les testicules puis ça va être fini.

– La carabine, c'est pourquoi ?

– Si c'est moi qui tombe, tire le chien !

Deux femmes parlent ensemble. La première dit :
- Tu sais que 75 % des hommes pensent que la meilleure manière de terminer une dispute, c'est de faire l'amour.
- Ça va révolutionner le monde du hockey...

Un récent sondage indique les préférences des Canadiens en matière de sport :
- Le sport le plus populaire chez les personnes sans emploi, c'est le basket-ball;
- Le sport le plus populaire chez les personnes non qualifiées, c'est les quilles;
- Le sport le plus populaire chez les ouvriers spécialisés, c'est le football américain;
- Le sport le plus populaire chez les cadres, c'est le baseball;
- Le sport le plus populaire chez les cadres supérieurs, c'est le tennis;
- Le sport le plus populaire chez les chefs d'entreprise, c'est le golf.
- En conclusion, plus le gars a une fonction élevée dans le monde du travail, plus ses boules sont petites.

Après plusieurs tentatives, un gars réussit finalement à avoir un rendez-vous avec la plus belle fille en ville. Il l'emmène dans un restaurant chic, lui paye des apéritifs, un bon repas, arrosé de bon vin, suivi de digestifs. Dans la voiture, en allant la reconduire, il stationne dans un endroit retiré. Il commence à l'embrasser et, de plus en plus excité, il essaie de glisser sa main sous sa jupe. Elle lui dit qu'elle est vierge et qu'elle entend bien le rester. Il lui demande alors de lui faire une fellation. Elle refuse, prétextant que c'est trop pour une première sortie. En désespoir de cause, le gars lui demande une masturbation. Comme elle ne semble pas savoir ce que ça signifie, il lui explique :

— Souviens-toi quand tu étais plus jeune et que tu brassais une bouteille de Coke pour arroser ton frère… bien, c'est la même chose.

La fille lui répond :

— C'est rien que ça ?

— Bien oui, c'est juste ça !

Alors, la fille s'exécute. Elle attrape le gars puis commence à brasser. Quelques minutes plus tard, les yeux lui crochissent, les oreilles lui bourdonnent puis la tête lui pète sur l'appui-tête et il lâche un grand cri. Elle lui demande :

— Qu'est-ce qui se passe ?

— Enlève ton pouce de sur le bout !

Un petit-fils va visiter son grand-père au foyer; il demande s'il dort bien le soir. Le grand-père lui répond :
- Très bien. Tous les soirs, on me donne une tasse de chocolat chaud et une pilule de Viagra puis je dors comme un bébé.

Le petit-fils, surpris à cause du Viagra, va voir la garde-malade de son grand-père et lui demande :
- Est-ce que ce que m'a dit mon grand-père c'est vrai ?
- Oui, le chocolat chaud, ça l'endort puis le Viagra, ça l'empêche de rouler en bas du lit.

Pourquoi le match de football entre la Colombie et la Jamaïque n'a jamais pu avoir lieu ?

Parce que les Colombiens ont sniffé toutes les lignes blanches et que les Jamaïcains ont fumé tout le gazon.

Le soir, dans le métro, une femme sent une main masculine se glisser au bas de son dos. Elle se retourne et lui dit :
- Eille ! vous là, vous ne pourriez pas mettre vos mains ailleurs !

Le gars, gêné, lui répond :
- Je voudrais bien... mais je n'ose pas !

La pharmacie est tenue par deux vieilles filles qui opèrent leur commerce depuis des années. Un jour, un client s'amène. Il entre dans la pharmacie, regarde derrière le comptoir, avec l'air de chercher quelque chose. Une des pharmaciennes s'amène et lui demande :

– Qu'est-ce que je peux faire pour vous ?

– Je voudrais voir le pharmacien.

– C'est moi la pharmacienne, je tiens la pharmacie avec ma sœur, qui est pharmacienne aussi.

– Oui, mais ce que j'ai, c'est un peu gênant à dire devant une femme.

– Écoutez, on est des professionnelles de la santé. Ce que vous pouvez dire à un pharmacien, il n'y a aucune raison de ne pas me le dire à moi.

– Bon, écoutez, ça me gêne, mais je vais vous le dire quand même. Je suis en érection permanente. Je peux faire l'amour sept – huit fois par jour. Qu'est-ce que vous pouvez me donner pour ça ?

– Un instant, je vais aller parler à ma sœur.

Elle revient deux minutes plus tard et dit :

– On va vous donner 500 $ par semaine et 50 % de la pharmacie !

Il n'y a pas d'institution plus valable, plus satisfaisante ou plus importante que le mariage. C'est ce que ma femme me dit...

Le gars est couché avec une fille au moment où sa femme entre dans la chambre. Elle lui demande, enragée :

– Avant que je retourne chez ma mère, dis-moi ce que c'te grébiche-là fait couchée avec toi ?

– Avant que tu retournes chez ta mère, je vais tout t'expliquer. J'm'en revenais à la maison puis j'ai rencontré cette fille-là, pauvre quêteuse qui me dit qu'elle a faim et qu'elle n'a pas mangé depuis longtemps. Alors, je l'ai fait entrer parce que je me rappelais qu'il y avait un restant de poulet dans le frigidaire, puis que tu m'avais dit : « J'en veux plus, je ne mangerai pas ça ce poulet-là ». Alors, je l'ai fait entrer pour le lui donner, sachant que ça ne t'intéressait pas. Ensuite, elle m'a dit qu'elle n'avait rien à se mettre sur le dos. Je me rappelais que tu m'avais dit que ta robe bleue avec des falbalas, tu n'en voulais plus, que tu ne porterais jamais ça, que ça te grossissait. Alors, comme tu ne t'en servais pas, j'ai décidé de la lui donner. Même chose avec tes souliers noirs, ceux qui n'ont pas de trous au bout. Tu m'as toujours dit : « Je les hais ces souliers-là, j'suis mal dedans, je ne porterai plus jamais ça ». Alors, comme tu ne t'en servais pas, j'ai décidé de les lui donner. Même chose avec ton chapeau, tu sais, celui avec les grands bords, tu avais l'air de la sœur volante avec. Tu m'as dit : « Je ne porte plus ça, ça me rapetisse, ça ne m'avantage pas, je n'en veux plus ». Alors, comme tu ne t'en servais plus, je le lui ai donné. Au moment où elle allait partir avec tout son stock, elle m'a demandé : « Y a-tu autre chose dont votre femme ne se sert pas… ».

Bernard va voir son ami, un psychologue et lui dit :
 – Écoute, il m'arrive quelque chose de terrible. Je
   veux t'en parler.
 – Bien oui, qu'est-ce qui se passe ?
 – Écoute-moi bien, ma femme veut m'empoison-
   ner.
 – Ben voyons donc, je suis sûr que tu te fais des
   idées.
 – Non, je suis certain de mon coup et je ne sais pas
   quoi faire.
 – Ne t'énerve pas, je vais parler à ta femme et je
   vais bien voir ce qui arrive. Viens me revoir dans
   trois jours.

Trois jours plus tard, Bernard revient voir son
ami et lui demande :
 – Et puis, quelles nouvelles ?
 – J'ai rencontré ta femme hier, j'ai parlé avec elle
   pendant quatre heures. Veux-tu un conseil ?
 – Oui
 – Prends le poison !

Si votre chien jappe à la porte d'en arrière et que votre
femme crie à la porte d'en avant, lequel faites-vous
entrer le premier ?

Le chien bien sûr; au moins, il va se la fermer
après que vous l'aurez laissé entrer.

Dans un bar, un gars s'approche d'une belle et plantureuse jeune fille. Il lui dit :

    – Je vous parie un dollar que je peux toucher vos seins sans toucher vos vêtements !

    Comme ça semblait tout à fait impossible, la fille, curieuse, décide d'accepter le pari. Le jeune homme lui met alors les deux mains sur les seins et commence à les caresser. Surprise, elle lui dit :

    – Eille ! T'as touché à mes vêtements !

    – OK d'abord, v'là ta piastre !

Deux chasseurs se promènent dans le bois quand soudainement, l'un des deux se prend la poitrine et tombe par terre. Il ne respire plus et ses yeux sont fixes. L'autre chasseur prend son téléphone portable et appelle le 911. Il dit à l'opératrice : « Je pense que mon ami Roméo est mort. Qu'est-ce que je dois faire ? » Elle lui dit :

    – Ne vous énervez pas et suivez mes instructions. D'abord, êtes-vous sûr qu'il est mort ?

    Après un long silence, on entend un coup de carabine et il dit à l'opératrice :

    – Là, j'suis sûr !

Le père revient d'un voyage d'affaires de trois semaines. En arrivant à la maison, il aperçoit un vélo. Il demande à son garçon :
- À qui appartient ce vélo ?
- À moi.
- Ah oui, et où as-tu pris l'argent pour t'acheter ça, ça doit coûter au moins 400 $?
- Je l'ai gagné !
- Tu l'as gagné ! Et comment ?
- À marcher...
- À marcher... Comment ça ?
- Ben, tous les soirs, pendant que tu étais parti, le voisin venait voir maman et me donnait 20 $ en me disant : « Va prendre une marche ! »

En classe de biologie, le médecin donne un cours sur la circulation du sang. Pour rendre son cours plus clair, il dit :
- Si je me tiens sur la tête, le sang va descendre dans ma tête puis je vais avoir la face rouge. D'un autre côté, quand je me tiens droit, en position debout, mon sang ne descend pas dans mes pieds, pourquoi ?
Un élève répond :
- C'est parce que vos pieds ne sont pas vides !

Il y a deux pères de famille et deux fils en train de pêcher. Au total, ça fait combien de personnes ?

Ça fait trois !

Ils font tous partie de la même famille, le grand-père, le père et le fils.

À la campagne, un pêcheur ivrogne sort d'un bar et pendant qu'il marche le long d'une rivière, il assiste à une cérémonie de baptême d'une secte où l'on procède par immersion totale. Le ministre, voyant l'ivrogne, lui dit :

– Monsieur, êtes-vous prêt à rencontrer Dieu ?

– Certainement.

Alors, le ministre attrape l'ivrogne par le chignon du cou, lui plonge la tête dans l'eau et lui demande :

– Avez-vous trouvé Dieu ?

– Non !

Le ministre recommence le même manège, l'attrape par le chignon du cou et le plonge encore une fois dans l'eau, après quoi il lui demande :

– Alors, avez-vous trouvé Dieu ?

– Non !

Alors, le ministre exaspéré attrape le bonhomme et le plonge dans l'eau où il le retient environ 30 secondes. Il lui demande :

– Maintenant, avez-vous trouvé Dieu ?

L'ivrogne s'essuie les yeux, crache une bonne quantité d'eau et dit au ministre :

– Êtes-vous sûr que c'est ici qu'il a tombé ?

Un gars est sur le bord d'un quai avec deux chaudiè-res de poisson. Le garde-pêche arrive, il demande au pêcheur :

– Avez-vous un permis pour attraper ces poissons-là ?

– Monsieur, ce sont mes poissons de compagnie. Tous les soirs, j'emmène mes poissons ici, les mets à l'eau pour qu'ils puissent faire un peu d'exercice dans la rivière. Au bout d'un certain temps, je siffle, les poissons sautent dans les chaudières et je retourne chez nous. Je fais ça tous les soirs.

Le garde-pêche découragé :

– Me prenez-vous pour un fou, voir si les poissons font ça ?

– Vous ne me croyez pas, c'est correct; je vais vous le montrer.

– Montrez-moi ça, j'ai bien hâte de voir ça !

Le gars prend ses deux chaudières de poisson et les vide dans la rivière. Après quelques minutes, le garde-pêche dit :

– Et puis ?

– Et puis quoi ?

– Quand allez-vous les rappeler, puis siffler ?

– Rappeler qui ?

– Les poissons ?

– Quels poissons ?

Un couple marié en voiture file à environ 125 km/h. Le mari conduit. Sa femme assise à sa droite lui dit :

– Écoute, on est mariés depuis 15 ans, mais là, je veux un divorce.

Le mari ne dit rien et augmente la vitesse à 135 km/h. Elle dit :

– Puis essaye pas de me faire changer d'idée, ça fait déjà un bon moment que j'ai une aventure avec ton meilleur ami, puis en amour, il est meilleur que toi.

Encore une fois, le mari ne dit rien et augmente la vitesse. Elle dit :

– Je veux la maison.

Le mari ne dit rien et augmente la vitesse encore.

– Je veux les enfants aussi.

Le mari ne dit rien et conduit de plus en plus vite. Elle dit :

– Je veux l'auto, les comptes de banque et les cartes de crédit.

Encore une fois, le mari ne dit rien et accélère encore. Elle dit :

– Est-ce qu'il y a quelque chose que tu veux ?

Non, j'ai tout ce qu'il me faut.

– Comment ça, tu as tout ce qu'il te faut ?

Et le mari dit, juste avant de frapper un mur à 160 km/h : « J'ai un coussin gonflable... »

– J'ai une montre spéciale à te vendre. Tu n'as pas besoin de la remonter, pas besoin de pile, elle n'a pas de petite aiguille, ni de grande aiguille non plus.
– Comment fais-tu pour savoir l'heure ?
– Je demande à quelqu'un !

Le gars tombe dans un grand bassin rempli de requins mangeurs d'hommes. Il s'en est sorti grâce à son chandail sur lequel c'était écrit : « Canadien de Montréal, prochain gagnant de la Coupe Stanley». Même un requin ne peut pas avaler ça !

Dans un tirage, un gars a gagné une brosse pour nettoyer la toilette. Son ami lui dit :
– Au moins toi, t'es chanceux : t'as gagné quelque chose; moi je n'ai rien gagné !
Il rencontre son ami la semaine suivante et lui demande :
– Comment aimes-tu ta nouvelle brosse à toilettes ?
– Je ne l'aime pas pantoute, je pense que je vais recommencer à me servir de papier de toilette.

Dans le fleuve Saint-Laurent, l'eau est tellement polluée que, quand tu sors un poisson, il te remercie !

La tendance actuelle dans le milieu médical a fait en sorte que plus d'argent s'est dépensé sur les implants mammaires et le Viagra que dans la recherche sur la maladie d'Alzheimer. En conséquence, les experts médicaux s'entendent pour dire que d'ici 2030, il y aura 40 millions de personnes avec des grosses poitrines et des pénis en érection qui ne se rappelleront plus quoi faire avec !

Un petit conseil : ne prenez jamais un somnifère et un laxatif le même soir.

Le gars est au bar; il en est déjà à quelques consommations. Une femme seule entre et s'assoit à sa table. Il lui dit :
– Qu'est-ce que tu dirais si toi puis moi...
    La femme se lève et va pour partir, il lui dit tout haut :
– Eille ! Bébé, ça me tente, mais j'ai rien qu'une couple de piastres. Elle le regarde et lui dit :
– Qu'est-ce qui te fait dire que je charge au pouce ?

Dans un bar, un petit vieux est assis seul à une table devant un verre. Dans la porte arrivent deux motards. Le premier dit à l'autre :

— Regarde le bonhomme à la table, je vais lui boire son verre, ça me coûtera rien. Qu'est-ce que tu veux que le bonhomme fasse, à la grosseur qu'il a ?

Il s'approche à la table du vieux et s'assoit. Sans rien dire, il prend le verre du bonhomme et l'avale d'un coup sec. Le bonhomme regarde le gros motard et dit :

— C'est pas ma journée. J'arrive à la maison, je m'aperçois que ma femme est partie avec un autre gars. Ma fille la plus jeune est enceinte, on ne sait même pas qui est le père. J'ai perdu ma job la semaine passée. Mes cartes de crédit sont full, j'me suis fait mettre dehors parce que je n'ai pas payé le loyer. Finalement, j'ai décidé de me suicider. Toi t'arrives puis tu bois mon poison !

À l'approche du temps des fêtes, un père demande à son jeune fils ce qu'il a demandé au père Noël. L'enfant lui répond :

— Je lui ai demandé de passer plus souvent !

Deux gars se rencontrent sur la rue. L'un demande à l'autre :

- Puis, comment ça va ?
- J'ai vu mon docteur, il m'a conseillé de faire du sport.
- Puis, qu'est-ce que tu fais ?
- Moi, je fais des barres parallèles.
- C'est quoi ça ?
- Je vais boire un coup dans un bar, je vais boire un coup dans un bar l'autre côté de la rue, ensuite je reviens...

Une femme entre dans un magasin de lingerie et demande au vendeur :

- Vous serait-il possible de faire broder du texte sur des petites culottes et sur un soutien-gorge ?
- Oui Madame, aucun problème, quel est le texte ?
- « Si vous pouvez lire ceci, c'est que vous êtes trop près ! »

Le vendeur lui demande alors :

- Vous voulez ça en majuscule ou en minuscule ?
- Ni l'un ni l'autre... en braille !

Un monsieur dit à l'autre :
- Oh ! Excusez-moi, je me suis assis sur vos lunettes !
- Bah !, j'aime autant que ça soit arrivé au moment où je ne les avais pas sur le nez !

Deux amis discutent. Le premier demande à l'autre :
- Sais-tu ce que je regarde en premier chez un homme ?
- Non...
- Sa femme !

Une secrétaire d'école remplit un formulaire pour un élève. Elle lui demande :
- Quel est l'emploi de ton père ?
- Il est magicien, Madame.
- Ah oui ? magicien, c'est bien. Quel est son tour de magie le plus populaire ?
- Il scie les personnes en deux !
- Wow ! maintenant question suivante, as-tu des frères et sœurs ?
- Oui, deux demi-frères et quatre demi-sœurs !

Une institutrice demande à ses étudiants de rédiger une composition française qui aborde de manière concise les trois domaines suivants : la religion, la sexualité et le mystère.

Un seul texte a reçu 20/20; le voici : « Mon Dieu, je suis enceinte ! Mais de qui ? »

Une dame fait de l'auto-stop sur le bord d'une route de campagne. Une voiture s'arrête, le conducteur ouvre la portière et lui dit :

– Montez Madame, moi je ne suis pas comme ces jeunes fous qui ne prennent que les belles filles.

Si l'homme descend du singe, et que l'homme est fait à l'image de Dieu. Alors, Dieu c'est King Kong !

Un promeneur demande à un pêcheur à la ligne :

– Alors, ça mord ?

– Non, non... Vous pouvez approcher !

Comment s'appelle la femelle d'un hamster ?
    Hamsterdam

Une femme demande à son amie :
    – Quel est ton auteur préféré ?
    – Mon amant...
    – Ah oui, qu'est-ce qu'il écrit ?
    – Des chèques...

Qu'est-ce qu'un homme marié depuis 10 ans fait après avoir fait l'amour ?
    Il s'habille et il rentre chez lui.

Prenez votre bébé et mettez-le dans l'eau. Si le bébé devient rouge, c'est que l'eau est trop chaude. Si le bébé devient bleu, c'est que l'eau est trop froide. Si le bébé devient blanc, c'est que le bébé était sale.

Un fonctionnaire se réveille en sursaut, dans son bureau, à 6 h du soir et dit :
— Merde, j'ai travaillé une heure de trop !

Un gars se promène dans la rue et entend crier : « Au secours ». Il monte l'escalier à toute vitesse et, au cinquième étage, il voit un homme qui a l'air très excité. Il lui demande :
— Mais pourquoi vous criez « Au secours » ?
— C'est parce que ma belle-mère veut se jeter par la fenêtre !
— Bof, une belle-mère, c'est pas si grave que ça... Laissez-la donc faire le grand saut !
Le gars, découragé, répond :
— Je voudrais bien, mais elle n'est pas capable d'ouvrir la fenêtre, puis moi non plus !

Quand une femme a-t-elle le plus de poil entre les jambes ?
Quand elle monte à cheval.

Un gars demande à l'un de ses amis :
- Est-ce que tu aimes les femmes qui ont les seins qui pendent ?
- Ben non...
- Est-ce que tu aimes les femmes qui sont pleines de cellulite ?
- Jamais...
- Est-ce que tu aimes les femmes qui ont des varices énormes ?
- Non, yark !
- Puis celles qui ont mauvaise haleine et qui sentent la transpiration ?
- C'est dégueulasse !
- Ben dans ce cas-là, pourquoi est-ce que tu couches avec ma femme ?

Une secrétaire se plaint à une amie :
- Mon patron m'avait dit que, si je couchais avec lui, il m'offrirait un vison...
- Puis, l'as-tu eu ton vison ?
- Oui, mais maintenant, tous les matins, je suis obligée de nettoyer la cage !

Quand une femme commence à critiquer, c'est qu'elle a atteint l'âge critique.

L'institutrice dispute un élève assis au premier rang :
– Jérôme, as-tu fini de me regarder les genoux ?
– Oh ! Madame, je suis au-dessus de ça...

– Ceci est ceci chat.
– Ceci est est chat.
– Ceci est une chat.
– Ceci est manière chat.
– Ceci est de chat.
– Ceci est tenir chat.
– Ceci est un chat.
– Ceci est épais chat.
– Ceci est occupé chat.
– Ceci est pendant chat.
– Ceci est 60 chats.
– Ceci est secondes chat.

Maintenant, vous vous demandez c'est quoi cette stupidité... Et bien, revenez en arrière et ne lisez que le troisième mot de chaque ligne à partir du début...

Deux couples jouent aux cartes et, pendant la partie, Jérôme échappe une carte sous la table. Il se penche pour la ramasser et constate que Monica, la femme de son ami Éric ne porte pas de petite culotte. Jérôme, surpris, se relève tout rouge en se cognant la tête sur la table. Quelque temps plus tard, il se rend à la cuisine pour prendre des rafraîchissements quand Monica arrive. Elle lui demande :

– Est-ce que tu as aimé ce que tu as vu sous la table ?

– Oui, j'ai beaucoup aimé.

Monica lui fait un clin d'oeil et lui dit :

– Tu peux l'avoir pour 100 $.

Jérôme étant intéressé, elle lui dit de venir le vendredi après-midi suivant, vers 2 h, car son mari Éric travaille et qu'elle sait que Jérôme est en congé le vendredi. Le vendredi suivant, à 2 h, après lui avoir payé son 100 $, Jérôme fait l'amour avec Monica dans toutes les positions pendant plus de 2 heures. Quand Éric rentre du travail vers 6 h, il demande à Monica :

– Est-ce que Jérôme est venu cet après-midi ?

– Oui… quelques minutes…

– Et, est-ce qu'il t'a donné 100 $?

Assez inquiète que son mari soit au courant de son aventure, elle lui répond :

– Oui, il m'a donné 100 $, pourquoi ?

– Non, c'est très bien, Jérôme est passé à mon bureau ce matin et il m'a emprunté 100 $ en me disant qu'il passerait cet après-midi chez nous pour me les rendre. C'est super d'avoir des amis honnêtes !

Questions sans réponse

- Qu'est-ce qui arrive si tu es à moitié mort deux fois ?

- Comment tu fais pour t'apercevoir que tu n'as plus d'encre invisible ?

- Si tu fais du jogging par en arrière, engraisses-tu ?

- Si l'amour est aveugle, pourquoi est-ce que la lingerie est si populaire ?

- Comment se fait-il que la *Crazy Glue* ne colle pas dans le tube ?

- Est-ce que les crématoriums donnent des rabais pour les gens morts brûlés ?

- Pourquoi y a-t-il une date de péremption sur la crème sure ?

- Si une patte de lapin, c'est chanceux, qu'est-ce qui est arrivé au lapin, lui qui en a quatre ?

- Pourquoi barre-t-on les toilettes dans les stations d'essence ? Y ont-tu peur que quelqu'un les nettoie ?

- Quand tu es chez le diable et que tu es choqué contre quelqu'un, où est-ce que tu lui dis d'aller ?

- Comment ça se fait que, quand tu dis à quelqu'un qu'il y a trois milliards d'étoiles dans l'univers, il te croie, alors que, quand tu lui dis qu'on vient de peinturer, il touche pour voir si c'est vrai ?

- Est-ce qu'il y a un autre mot pour *synonyme* ?

- Si un homme meurt d'une *overdose* de Viagra, comment font-ils pour fermer le couvercle du cercueil ?

- Pourquoi est-ce que le mot *abréviation* est si long ?

- Pourquoi est-ce que les moutons ne refoulent pas lorsqu'il pleut ?

- Si l'huile d'olive vient des olives, d'où vient l'huile de bébé ?

- Quand un Schtroumpf étouffe, il devient de quelle couleur ?

- Est-ce qu'un athée peut avoir une assurance pour un « Act of God » ?

- Comment peut-on être tout seul avec quelqu'un ?

- Quand les moutons sont pas capables de dormir, qu'est-ce qu'ils comptent ?

- Si on n'est pas supposé manger tard le soir, pourquoi est-ce qu'il y a une petite lumière dans le réfrigérateur ?

- Si l'homme descend du singe, pourquoi y a-t-il encore des singes ?

- Pourquoi les banques vous chargent-t-elles une pénalité pour manque de fonds quand elles savent que vous n'avez pas de fonds ?

- Est-ce que tuer le temps est un crime ?

- Si Superman est capable d'arrêter une balle de revolver avec son estomac, pourquoi se penche-t-il quand quelqu'un lui lance quelque chose par la tête ?

- Si la nage est bonne pour la taille, comment expliquer les baleines ?

- Si tu montes dans un taxi et que le chauffeur part à reculons, est-ce lui qui te doit de l'argent ?

Tu sais que tu n'es plus un étudiant...

- quand tes plantes d'intérieur sont en santé.

- quand coucher dans un lit simple semble absurde.

- quand ton réfrigérateur contient plus de nourriture que de bière.

- quand 8 h du matin n'est pas si tôt que ça.

- quand tu passes de douze semaines de vacances à quatre.

- quand tu vas dans un party et qu'il n'y a pas de descente de police.

À propos de ma belle-mère...

Ma belle-mère est tellement grosse que, quand on lui a diagnostiqué la bactérie mangeuse de chair, le docteur lui a donné cinq ans à vivre.

Ma belle-mère est tellement grosse que, quand elle va au zoo, c'est les éléphants qui lui lancent des *peanuts*.

Ma belle-mère est tellement grosse qu'Environnement Canada donne des noms à ses gaz.

Ma belle-mère est assez grosse qu'elle prend une assurance groupe pour elle toute seule.

Ma belle-mère est tellement grosse : un jour, elle était sur un coin de rue, sa robe rouge sur le dos; elle a baillé et un gars lui a mis deux lettres dans la gueule.

Ma belle-mère est assez vieille : elle était serveuse aux noces de Cana.

Ma belle-mère est assez vieille : elle était gardienne de Caïn et Abel.

Ma belle-mère est assez gourmande qu'elle va au PFK pour lécher les doigts des autres.

Ma belle-mère est assez niaiseuse : elle a vendu son auto pour acheter de l'essence.

Ma belle-mère est assez niaiseuse : elle a appelé le 411 pour avoir le numéro du 911.

Ma belle-mère est assez laide que, quand elle était petite, sa mère lui attachait un steak autour du cou pour que le chien joue avec.

Il manque tellement de dents à ma belle-mère... On dirait que sa langue est en prison.

La maison de ma belle-mère est tellement sale qu'elle s'essuie les pieds avant de sortir.

Avantages d'avoir 60 ans et plus

1.   Les ravisseurs ne sont plus intéressés à nous...

2.   Dans une prise d'otages, nous avons de bonnes chances d'être relâchés les premiers...

3.   Les gens appellent à 21 h et nous demandent : « Vous ais-je réveillé ? »...

4.   Les choses que nous achetons ne s'useront pas...

5.   Nous pouvons souper à 16 h 30 ...

7.   Nous aimons entendre parler des interventions chirurgicales... des autres...

8. Nous nous impliquons chaudement dans des discussions sur les... fonds de pension, les FEERs...

9. Nous ne percevons plus les limites de vitesse comme des défis à relever...

10. Nous ne retenons plus notre souffle pour quiconque entre dans une salle...

11. Nous chantons au son de la musique dans les ascenseurs...

12. Notre vision cesse de se détériorer...

13. Nos investissements dans l'assurance santé et dans l'assurance médicaments commencent à porter fruit...

14. Nos articulations sont des météorologues plus précis que ceux de Météo Media...

15. Nos secrets sont bien gardés par nos amis, qui les oublient rapidement de toute façon...

16. La quantité de nos cellules cérébrales diminue dans des proportions contrôlables...

Citations

J'ai décidé d'être heureux parce que c'est bon pour la santé.

Quels sont les émaux auxquels personne ne tient ?
Ce sont les émaux… roïdes.

Les amis, ça fait toujours plaisir. Si c'est pas quand ils arrivent, c'est quand ils partent.

Si on bâtissait la maison du bonheur, la plus grande pièce serait la salle d'attente.

Si Dieu avait voulu que l'on prenne la vie sérieusement, il ne nous aurait pas donné le sens de l'humour.

Cocu, chose étrange que ce petit mot n'ait pas de féminin.

Définition d'apéro :
Les verres de contact.

Le principe d'Archimède :
Plus la femme est légère, plus les dépenses sont lourdes.

Pourquoi dit-on que les murs ont des oreilles alors que c'est aux portes qu'on écoute ?

Si haut que l'on soit placé, on n'est jamais assis que sur son cul.

On a beau avoir une santé de fer, on finit toujours par rouiller.

Si l'administration militaire était bien faite, il n'y aurait pas de soldat inconnu.

Nuance : quand l'homme est mort, on l'enterre, quand l'arbre est mort, on le déterre.

Picasso peint les femmes avec une bouche à la place de l'oreille, ça prouve qu'il les connaît bien.

Certains hommes n'ont que ce qu'ils méritent. Les autres sont célibataires.

Avoir des enfants ne fait pas plus de vous des parents qu'avoir un piano ne fait de vous un pianiste.

Dans la vie, il faut savoir compter, mais pas sur les autres.

Le meilleur moyen de s'endormir c'est de s'imaginer que c'est l'heure de se lever.

Si la matière grise était rose, il n'y aurait plus d'idées noires.

Fuir : prendre son courage à deux pieds.

C'est curieux, ce sont toujours les célibataires qui vous donnent des conseils pour élever des enfants.

Autrefois, les seins d'une femme servaient à nourrir les enfants; aujourd'hui, ils servent à nourrir les cinéastes.

Quand un homme décide de tuer un tigre, il appelle ça du sport. Quand un tigre décide de tuer un homme, on appelle ça de la férocité.

Enfer chrétien :   du feu
Enfer païen :   du feu
Enfer mahométan :   du feu
Enfer hindou :   des flammes
À en croire les religions, Dieu est un rôtisseur.

C'est quand on serre une femme de trop près qu'elle trouve qu'on va trop loin.

Un proverbe français dit : « Qui rit guérit. »

Si, derrière toute barbe il y avait de la sagesse, les chèvres seraient toutes poètes.

Chez nous, on était pauvres puis on était 26 enfants. Quand ma mère faisait de la soupe à l'alphabet, on avait chacun une lettre.

      Chez nous, on mangeait à la carte. Ce soir-là, celui qui pigeait l'as de pique soupait.

      Chez nous quand ma mère mettait la table, on avait le choix : t'en veux ou t'en veux pas ?

Ce que les hommes disent
et ce qu'ils veulent vraiment dire

Arrête un peu, tu travailles trop fort !
      veut dire :
Arrête, j'entends pas la télévision quand la balayeuse électrique marche !

Je me suis ennuyé de toi.
      veut dire :
Toute la vaisselle est sale pis y a plus de papier de toilette.

C'est un bon film.
      veut dire :
Il y a des fusils, du sang, des poursuites et Angelina Jolie.

Je t'écoutais, mais y a quelque chose qui me tracasse.
      veut dire :
Je me demande si la blonde là-bas porte une brassière.

C'est un travail de femme.
      veut dire :
J'comprends pas comment faire ça.

Je pensais à toi puis je t'ai apporté des roses.
      veut dire :
J'ai un œil sur la fleuriste.

Cette robe-là te fait à merveille.
      veut dire :
Essayes-en pas une autre, je meurs de faim !

Je pense qu'on devrait être juste des amis.
        veut dire :
T'es laide en maudit.

Est-ce que je peux t'aider à préparer le souper ?
        veut dire :
Comment ça se fait que le souper n'est pas encore prêt ?

T'es la seule fille qui m'intéresse.
        veut dire :
T'es la seule fille qui m'a pas sacré là !

Veux-tu aller au cinéma ?
        veut dire :
Veux-tu coucher avec moi ?

Veux-tu m'accorder cette danse ?
        veut dire :
Veux-tu coucher avec moi ?

Veux-tu souper avec moi ?
        veut dire :
Veux-tu coucher avec moi ?

Conseils pour les
Don Juan d'un certain âge,
même d'un âge certain...

1. Mettez vos lunettes et vérifiez si votre partenaire est dans le lit avec vous.

2. Mettez votre réveille-matin dans trois minutes, au cas où vous vous endormiriez avant la fin.

3. Créez l'ambiance avec la lumière, éteignez-les toutes.

4. Assurez-vous de programmer le 911 sur votre téléphone avant de commencer.

5. Inscrivez le nom de votre partenaire sur votre manche de pyjama au cas où vous ne vous en rappelleriez plus.

6. Gardez-vous un tube de *Polygrip* à proximité pour éviter que vos dentiers ne se retrouvent en dessous du lit.

7. Ayez des *Tylenols* à portée de main au cas où vous iriez jusqu'au bout.

8. Vous pouvez faire tout le bruit que vous voulez, les voisins aussi sont sourds.

9. Si ça a marché, appelez tous les gens que vous connaissez pour leur dire la bonne nouvelle.

10. N'essayez surtout pas de recommencer une deuxième fois.

Note : Je l'ai écrit en grosses lettres pour que vous puissiez le lire facilement.

Comment se débarrasser des machos dans une boîte ?

On ne s'est pas déjà rencontrés quelque part ?
> – Oui, c'est moi la réceptionniste de la clinique spécialisée dans les maladies sexuelles !

Je ne vous ai pas déjà vue quelque part ?
> – Oui, c'est pour ça que je n'y vais plus !

Tu es née sous quel signe ?
> – « Entrée interdite » !

Comment tu préfères tes œufs le matin, au petit déjeuner ?
> – Non fécondés !

Allez, on ne me la fait pas à moi : on est ici tous les deux dans cette boîte pour la même raison !
> – Ouais, pour se ramasser des filles !

Je suis là pour combler tous tes fantasmes !
> – Tu veux dire que tu possèdes un âne et un berger allemand ?

Je veux me donner à toi...
> – Désolée, je n'accepte pas les cadeaux sans valeur !

Si je pouvais te voir nue, je mourrais heureux...
> – Peut-être, mais si je te voyais nu, je mourrais de rire !

J'irai au bout du monde pour toi...
> – Oui, mais est-ce que tu saurais y rester ?

Alors, qu'est-ce que tu fais dans la vie ?
> – Je suis travesti !

Je voudrais bien te rappeler. C'est quoi ton numéro ?
> – Il est dans l'annuaire !

Mais je ne connais même pas ton nom...
> – Il est dans l'annuaire aussi !

On va chez toi ou on va chez moi ?
> – Les deux. Tu vas chez toi et moi, je vais chez moi !

Alors, si on allait chez moi ?
> – Je ne sais pas. Y a-t-il deux places dans une poubelle ?

Est-ce que ce siège est disponible ?
> – Oui, et le mien le sera aussi si vous vous asseyez !

Qu'est-ce que vous buvez ? Ça a l'air délicieux !
> – C'est du vomi : mon copain est malade et je garde ses affaires pendant qu'il lave son pantalon dans les toilettes !

Vous avez un regard très expressif....
> – C'est toi Gérard ? J'ai perdu mes lunettes, j'vois rien !

Salut ! On n'est pas sortis ensemble déjà, une fois ou deux ?
> – C'est possible, mais une fois seulement, je ne fais jamais deux fois la même erreur !

M'accorderiez-vous le plaisir de cette danse ?
– Non merci, j'aimerais avoir du plaisir aussi !

Comment avez-vous fait pour être si belle ?
– On a dû me donner votre part !

Est-ce que vous sortiriez avec moi samedi prochain ?
– Désolée, j'ai prévu d'avoir une migraine ce week-
end !

Votre visage doit faire tourner quelques têtes !
– Et le vôtre doit retourner quelques estomacs !

Je crois que je pourrai vous rendre très heureuse...
– Pourquoi, vous partez ?

Que répondriez-vous si je vous demandais de m'épouser ?
– Rien. Je ne peux pas rire et parler en même
temps !

Puis-je avoir votre nom ?
– Pourquoi, vous n'en avez pas ?

Bonjour, je m'appelle Éric...
– Moi, non !

Ça vous dirait d'aller voir un film avec moi ?
– Je l'ai déjà vu !

Croyez-vous que c'est le destin qui nous a fait nous rencontrer ?
– Bah, juste de la simple malchance !

Quel est votre animal préféré ?
> – L'huître...

> – J'aime beaucoup ton approche. Maintenant, montre-moi comment tu t'en vas.

Contrepèteries

Aimeriez-vous baiser les mains de Saddam ?
Aimeriez-vous baiser les seins de madame ?

C'est un beau métier professeur.
C'est un beau fessier prometteur.

C'est une fine appellation.
C'est une pine à fellation.

Cette femme est folle de la messe.
Cette femme est molle de la fesse.

Cette fille de Bordeaux n'aime pas les motels.
Cette fille de bordel n'aime pas les motos.

Chaque fois qu'elle ment, elle souille les draps.
Chaque fois qu'elle sent, elle mouille les draps.

Couds-la bien dans le fond.
Fous-la bien dans le con.

Coupez délicatement les nouilles au sécateur.
Coupez délicatement les couilles au sénateur.

Daffy Duck.
Daddy fuck.

Des nouilles, encore ?
Des couilles en or.

Elle vit aux champs.
Elle chie au vent.

Elle déteste les ridicules.
Elle déride les testicules.

Elle est très heureuse d'avoir trouvé ce plan qui vient
de la Guinée.
Elle est très heureuse d'avoir trouvé ce gland qui vient
de la piner.

Elle n'a cessé de mastiquer, la sotte.
Elle n'a cessé de s'astiquer la motte.

Essuie-moi ça vite et bien.
Essuie-moi sa bite et viens.

Mort écrasé sous la botte de Staline.
Mort écrasé sous la bite de Stallone.

Il faut être peu pour bien dîner.
Il faut être deux pour bien piner.

Je n'ai pas de rebords à mes épaulettes.
Je n'ai pas de remords à baiser Paulette.

Je tricote si peu.
Je tripote six queues.

Le Caire est noir de monde.
Le con est noir de merde.

Le coup si près du but.
Le bout si près du cul.

Le linge qui sèche mouille les cordes.
Le singe qui lèche mord les couilles.

Le penseur dîne.
Le danseur pine.

Les monts sont trop nombreux pour qu'on puisse tous les compter.
Les cons sont trop nombreux pour qu'on puisse tous les pomper.

Les nouilles, c'est pas bon pour les boxeurs.
Les couilles, c'est pas bon pour les bonnes sœurs.

Les mutins ont passé la berge du grand ravin.
Les putains ont massé la verge du grand rabbin.

Les poissons tuent.
Les toisons puent.

Les vieux abbés se font malentendants.
Les vieux athées se font mal en bandant.

Ôte ta lampe que je guette.
Ôte ta langue que je pète.

Quand les abbés se taisent, les athées se battent.
Pendant que les athées se baisent, les abbés se tâtent.

Propose-lui le choix dans la date.
Propose-lui le doigt dans la chatte.

Que de gîtes la pauvre femme habita !
Que de bites la pauvre femme agita !

Quel grand bonhomme ce recteur !
Quel grand bonheur ce rectum !

Sais-tu ce que ta plante me fait ?
Sais-tu ce que ta fente me plaît?

Sans fin ni cesse.
Sans sein ni fesse.

Tâter cette pierre fine.
Tâter cette fière pine.

Toutes les courses ne mènent pas aux mêmes buts.
Toutes les bourses ne mènent pas aux mêmes culs.

Tu brouilles l'écoute.
Tu broutes les couilles.

Tu mets ta casquette.
Tu masses ta quéquette.

Un concierge se distingue par son avidité.
Un con vierge se distingue par son acidité.

Venez voir les sites autour de mon balcon
Venez voir les bites autour de mon sale con.

Veuillez déposer le fruit de vos fouilles dans des caisses.
Veuillez déposer le fruit de vos couilles dans les fesses.

Votre père à l'air mutin.
Votre mère à l'air putain.

Les dernières paroles que vous direz peut-être avant de mourir :

– J'peux-tu caresser votre pitbull ?

– Ben non, c'est pas nécessaire de le débrancher...

– Y se passe quoi si je fais ça ?

– Je sais ce que je fais...

– J'ai même pas mal...

– Dans 15 secondes, j'ouvre mon parachute !

– T'es sûr que je peux lui faire confiance ?

– Ça a un drôle de goût...

– C'est vous qui avez cueilli ces champignons-là ?

– Tu trouves pas que ça sent le gaz ?

– J'mettrai pas ma ceinture...

– Le docteur a dit que je pouvais.

– Qu'est-ce que tu veux qu'il m'arrive ?

– J'ai oublié mon casque !

– Inquiète-toi pas, je l'ai fait 100 fois puis j'suis pas mort.

– Moi, j'peux rester deux minutes sous l'eau !

– On est à quelle hauteur, là ?

– Regarde les verres sur la table, on dirait qu'ils bougent... Ça tremble !

– C'est la dernière fois que je fais ça !

– Personne en est jamais mort !

– Double chérie, double...

– C'est la première fois que je caresse un lion.

– Ça craque, on dirait que ça craque, non ?

– Ben non, j'ai changé les freins il y a deux ans seulement.

– Pourquoi est-ce qu'elle roule sur le trottoir ?

– C'est quoi qui tombe ?

– J'ai le temps de doubler.

– Il faut que je t'avoue quelque chose, je te trompe avec ta mère.

– Où sont les gilets de sauvetage ?

– As-tu de l'alcool pour partir le BBQ ?

– Passe-moi les allumettes.

– Jette pas le séchoir à cheveux dans mon bain, ça peut être dangereux !

– OK chérie, je te laisse conduire.

– Les requins attaquent rien que si tu saignes.

– On va jouer à la roulette russe, je commence !

– Faut-tu que je prenne 2 ou 12 gouttes ?

– Ça me serre dans la poitrine...

– C'est pas un peu trop haut pour sauter...

– Ah ! tu penses que tu me fais peur ?

– T'es sûr qu'on peut tous entrer dans l'ascenseur ?

– J'm'en sacre, moi, des sens uniques !

– Ça sent le brûlé, non ?

– Bon un orage; viens, on va aller se cacher en dessous d'un arbre...

– Vous êtes sûr de vous docteur ?

– Vas-y, fais-moi mal ?

Les dernières paroles que vous entendrez peut-être avant de mourir :

– Tiens, il n'est pas chargé.

– Puisque je te dis que tu peux me faire confiance.

– Recule, recule, encore, encore...

– Il n'y a rien; vas-y, passe !

– Inquiétez-vous pas, c'est une opération bénigne.

– Inquiète-toi pas, la voiture sort du garage.

– Conduis pas si vite !

– Fais comme moi, regarde pas en bas !

– Il n'y a absolument aucun risque.

– Passe devant, je te suis.

– Surtout, bouge pas !

– Tic ! tac ! tic ! tac ! Boum !

– Est-ce qu'il y a quelqu'un qui sait faire un massage cardiaque ?

– On est à l'urgence, Monsieur, vous n'êtes pas tout
seul à avoir mal !

– Un dernier pour la route ?

– Bonjour, je suis l'anesthésiste.

– Reste ici, l'arbre va tomber de l'autre côté!

Les derniers mots que vous lirez peut-être avant de
mourir :

– Ligne à haute tension.

– Attention, chien méchant.

– Terrain militaire, manœuvres.

– Danger, ne pas toucher.

– Risque d'éboulement.

– Virage dangereux.

– Ne pas secouer.

– Pont en construction.

– Risque d'allergie.

– Respectez les doses prescrites.

– Risque de somnolence.

– Bagdad, 2 kilomètres.

– Ne pas avaler.

– Baissez la tête.

– N'approchez pas de la cage.

– Fermé au public pour cause de travaux.

– Produit inflammable.

– Danger !

– Ne pas donner à manger aux animaux.

– Lire attentivement les instructions.

– Ne pas fumer.

Dictionnaire drôle

Adulte : Quelqu'un qui a fini de grandir des deux bouts et qui maintenant grandit dans le milieu.

Ami : Quelqu'un qui déteste le même monde que vous.

Archéologue : Quelqu'un dont la carrière est en ruine.

Aspirateur : Balai avec un estomac.

Chauve : Moins de cheveux à peigner et plus de face à laver.

Connaissance : Quelqu'un que tu connais assez bien pour lui emprunter de l'argent, mais pas assez bien pour lui en prêter.

Demain : Jour où tu feras le ménage du garage.

Directeur de funérailles : Homme qui essaie d'avoir l'air triste à un enterrement de 10 000 $.

Homme d'affaires : Homme qui parle de golf au bureau et qui parle du bureau au golf.

Inflation : Ce qui coûtait 20 $ à l'achat coûte maintenant 40 $ à réparer.

Jazz : Cinq hommes sur la même scène qui jouent chacun un air différent.

Mari : Homme qui s'attend à ce que sa femme soit parfaite et qu'elle comprenne qui lui ne l'est pas.

Mariage : Histoire d'amour dans laquelle le héros meurt au premier chapitre. Funérailles où vous sentez vos propres fleurs.

Orteils : Instruments pour trouver des meubles dans le noir.

Pêcheur : Poisson à un bout de la ligne qui attend un poisson à l'autre bout de la ligne.

Pessimiste : Quelqu'un qui regarde les deux côtés de la rue avant de traverser un sens unique.

Poulet : Créature que tu peux manger avant qu'elle soit née et après sa mort.

Psychologue : Quelqu'un que tu payes très cher pour te poser des questions que ta femme te pose pour rien.

Sadique : Quelqu'un de gentil avec un masochiste.

Synonyme : Mot que vous employez quand vous ne savez pas écrire l'autre mot.

Dieu à saint Pierre

Comme tous les mille ans, Dieu demande à saint Pierre de réaliser une enquête sur le comportement humain sur terre. Quelque temps après, saint Pierre a terminé son enquête et vient présenter son rapport au patron :

– Alors Pierre, quelles nouvelles d'en bas ?

– Bah, ça me fait de la peine d'avoir à vous dire ça, patron, mais c'est toujours la même chose : les humains se comportent toujours comme s'ils suivaient le côté obscur de la force. Ils se droguent, ils boivent, ils fument, ils tuent. Mais, non contents de cela, ce sont aussi des obsédés sexuels. L'enquête a même démontré qu'ils délaissaient de plus en plus souvent les relations sexuelles classiques pour la sodomie ! En fait, 37 % de la population affirme pratiquer cela couramment... On peut dire que ça devient presque une épidémie.

– Hum ! Qu'est-ce que tu proposes pour mettre fin à cette pratique sexuelle désastreuse ?

– Eh bien, je pense qu'on pourrait déjà envoyer un message dans chaque foyer terrestre où cette perversion sexuelle est pratiquée. Le contenu du message leur révélerait EXACTEMENT ce qu'il adviendra d'eux au jour du Jugement dernier s'ils persistent dans cette activité.

Dieu approuva l'idée de saint Pierre :

– Excellente idée, mais je pense qu'au lieu de punir ceux qui pratiquent la sodomie, on devrait récompenser ceux qui ne la pratiquent pas. Aussi, plutôt que d'envoyer une lettre aux sodomites, nous enverrons une lettre à tous les humains qui ont des relations normales. Je signerai personnellement chacune de ces lettres !

***

– Et sais-tu ce que la lettre disait ?
– ???
– Non ? C'est que tu ne l'as pas reçue, toi non plus, hein ?

Mon chien Baiser

Pour donner un nom hors du commun à mon chien je l'ai nommé « Baiser » (comme pour un baiser mignon.) Ce fut une erreur, mais je ne l'ai remarqué que plus tard :

1. Lorsque après mon déménagement je me suis rendu à la municipalité pour le faire enregistrer, je dis au percepteur que je venais payer la taxe pour Baiser. Il me répondit qu'il n'y avait pas de taxe à payer pour cela.

   – Mais il s'agit d'un chien, lui répondis-je. Il me répliqua que les relations sexuelles avec les animaux sont interdites par la loi, mais que malgré cela, il n'y avait pas de taxe à payer.

   – Vous ne comprenez pas, lui dis-je, j'ai Baiser depuis que j'ai neuf ans… Il me jeta dehors.

2. Pendant notre voyage de noces, le chien nous accompagnait. Comme je ne voulais pas qu'il nous dérange, je demandai à la réception de l'hôtel une chambre supplémentaire pour Baiser. La dame de service me répondit que toutes les chambres de l'hôtel étaient équipées à cet effet.

   – Vous ne comprenez pas, lui dis-je, Baiser m'empêche de dormir toute la nuit. Mais elle me répondit qu'elle aussi, ça l'empêchait de dormir.

3. Une fois, je me rendis à un concours de beauté pour chiens, je voulais y présenter Baiser. Un gars à l'entrée me demanda la raison de ma présence au concours. Je lui répondis que j'étais ici pour Baiser. Il me suggéra de faire imprimer mes cartes d'entrée privées et de les vendre. Lorsque je lui demandai si le concours était télévisé, il me traita de pervers.

4. Un jour, Baiser tomba malade et je dus le conduire chez le vétérinaire. Le lendemain, j'allai le reprendre.

   – Lequel est-ce, me demanda la demoiselle en feuilletant dans ses cartes d'admission, Milou, Médor... ou Paf ?

   – Que diriez-vous de Baiser, lui répondis-je et je reçus une claque sur la gueule.

5. Le même jour, Baiser s'échappa et je le cherchai partout. Je me rendis au refuge pour animaux pour le chercher.

   – Que voulez-vous ? me demanda le gardien.

   – Baiser, lui répondis-je. Il était d'avis que ce n'était pas le bon endroit pour baiser.

6. Je cherchai toute la nuit. Vers quatre heures, un agent de police me demanda ce que je voulais, en pleine nuit, dans ce quartier chic. Lorsque je lui répondis que je voulais seulement Baiser et rien d'autre, il m'embarqua.

7. Lors du divorce, ma femme et moi devions nous présenter devant le juge pour le partage des biens. Naturellement, je voulais à tout prix garder mon chien, je ne voulais pas le lui laisser. Quand j'ai dit au juge que je voulais Baiser, il m'a répondu, simplement :

   – Et alors ? Moi aussi!

Recette de la dinde au whisky

Étape 1 :   Acheter une dinde d'environ 10 livres pour 6 personnes et une bouteille de whisky, du sel, du poivre, de l'huile d'olive et des bardes de lard.

Étape 2 :   Barder la dinde de lard, la ficeler, la saler, la poivrer et ajouter un filet d'huile d'olive.

Étape 3 :   Préchauffer le four à 350° pendant 10 minutes.

Étape 4 :   Se verser un verre de whisky pendant ce temps-là.

Étape 5 :   Mettre la dinde au four dans un plat à cuisson.

Étape 6 :   Se verser deux autres verres de whisky.

Étape 7 :   Mettre le vour à 400° pendant 20 binutes pour la zaisir.

Étape 8 :   Se bercer 3 berres de whisky.

Étape 9 :   Après, mettons, une debieurre, fourrer l'ouvrir et surbeiller la puisson de la tinde.

Étape 10 :   Brendre la pouteille de biscuit et s'enfiler une bonne rasade derrière la brabate – non – la trabate !

Étape 11 : Après environ, bouof... une debieurre de blus ou moins, pencher en direction du vour et s'y rendre. Oubrir la criss de borte du pour et rebourner : mettre l'autre bord l'asti de guinde, mettons.

Étape 12 : Se prûler la main – fuck – avec la tabarnak de borte du vour en la farmant - ciboère de bâtard.

Étape 13 : S'ass... woyons... s'ass... – ben woyons – s'ass... woyons – c'qu'a l'est, sti – s'asse... woère – bon – ! s'a griss de chaise et se reverder 5 ou 6 whis-kies de verr... ou le gondaire – ou...cares?

Étape 14 : Buire – non, suire – non, cuire – non, ah ben oui, c'est ça, cuire la bingue bandant 4 heures. 4 heures, z'est ça.

Étape 15 : Et hop pelaï... e, 5 berres de plisse ! Ça vait du bien bar où ça passe !

Étape 16 : TTTTTTTTTTirer le four de la dinde.

Étape 17 : Se rebercer une tite corchée de puisky, bas trop, tention : zussun doigt ; wôpattention –wôpokaymerciderien.

Étape 18 : Là, mon chum, on vazzayer de – suimoâbenlà – zortir le bour de la... woyons – décâliss m'as tu l'dire – de... woyons ...de pinde, – ça y est ! –s'cuse, voulais pas dire « de pinde »; cevoulais dire, c'est zordir le dinde de – c'est ça – : dedinde de dinde de nouveau, parce que, – laisse-moé fairelà, nonlaisse-moé faire, non gar-moé ben, bon OK fais-lé donc.

Étape 19 : Rabasser la dinde qui est, hooonnn, tombée bar erre. L'ettuyer avecune... – non, l'aut porte –avec un linge à véselle et la dép... échappéwopélaîeoké sur un blat, ou une assiette, ou on s'encriss...

Étape 20 : Se péter la gueule à cause du gras sur le cushion floor – non les tuiles de chose – de brélart, genre dezérémiquecommonpourraittdire – anyway le plancher – sti – de la cuisine et essayer de se relever pour serass... woyons se rass – s'ra pas long – se rasss... ssayer. Pas grave.

Étape 21 : Décider qu'on est aussi ben à terre, ah pis vénir la pouteille debouisky, quins.

Étape 22 : Ramper jusqu'au lit et torpir ziss un tipeu, polontan, issintipeupimmoettkérecy;

Étape 23 : Le lendemain midi, manger la dinde froide avec de la bonne mayonnaise et prendre l'après-midi pour nettoyer l'esti d'bordel que tu as fait dans la cuisine la veille.

Joyeuses Fêtes.

Signes évidents que tu es de Montréal

Ta porte a plus de trois barrures.

La partie de ton auto la plus usée, c'est le klaxon.

Tu vas voir le hockey juste pour les batailles.

Tu fais de l'arthrite au majeur à force de t'en servir.

T'es jamais allé à l'oratoire Saint-Joseph ou au Jardin botanique.

Y faisait assez froid à Montréal que...

les pickpockets avaient les mains dans vos poches, mais juste pour se réchauffer.

la statue de Jeanne Mance avait les deux mains sur les oreilles.

les prostituées portaient des Penman 95.

les avocats avaient les mains dans leurs propres poches.

Signes évidents que tu vieillis

Plus de poils dans les oreilles que sur la tête.

L'étincelle dans tes yeux vient du soleil qui frappe tes doubles foyers.

Quand tu te rappelles que, partout, c'était des champs.

Quand tu es essoufflé rien qu'en jouant aux échecs.

Quand tu cours encore après les femmes, mais que tu ne te rappelles plus pourquoi.

Quand tu prends des nouvelles de tes amis, mais par la colonne des décès.

Quand tu mords dans un steak, mais que tes dents restent là.

Quand tu t'endors et que les gens ont peur que tu sois mort.

Quand tu peux te passer de sexe, mais pas de lunettes.

Quand une diseuse de bonne aventure t'offre de te lire les lignes de la face.

Quand tu as un party et que les voisins ne s'en aperçoivent même pas.

Quand les numéros de téléphone dans ton petit livre noir sont tous des numéros de docteurs.

Quand la mémoire est plus courte et que les histoires sont plus longues.

Quand tu passes plus de temps à parler à ton pharmacien qu'à n'importe qui.

Quand ta perruque commence à grisonner.

Quand les chandelles coûtent plus cher que le gâteau.

Quand tu sors de la douche et que tu es content qu'il y ait de la buée dans le miroir.

Quand tout le monde te dit combien tu parais jeune.

Quand tu n'achètes même plus tes bananes vertes.

Quand tu te rappelles qu'Adam avait toutes ses côtes.

Quand tu as besoin de tes dentiers et de ton appareil auditif pour demander où t'as mis tes lunettes.

Quand, tous les jours, tu prends 14 couleurs de pilules.

Quand tu t'inscris dans un cours pour la mémoire et que t'oublies d'y aller.

Quand tu te rappelles que d'aller au repos éternel, ça voulait pas dire devenir fonctionnaire.

Quand tu peux te rappeler tous les détails d'une histoire, mais que tu peux pas te rappeler combien de fois tu l'as racontée à la même personne.

Quand tu peux te rappeler un enfant qui avait plus de frères et de sœurs que de pères.

Quand t'es obligé de courir pour aller aussi vite que quand tu marchais.

Un homme c'est comme...

Un bel homme, c'est comme un téléphone : c'est souvent occupé.

Un homme, c'est comme un oignon : ça finit toujours par nous faire pleurer.

Un homme, c'est comme un chien : quand on le flatte, il lève la queue.

Un homme, c'est comme un balai : ça se manipule par le manche.

Un homme, c'est comme un réveille-matin : jamais à l'heure.

Les hommes sont comme le café : les meilleurs sont riches, chauds et peuvent vous tenir réveillés toute la nuit.

Les hommes sont comme des places de stationnement : les bons sont déjà pris.

T'es un vrai colon...

si ton père t'accompagne à l'école parce que vous êtes tous les deux dans la même classe.

quand ton papier de toilette a des numéros de page dessus.

si ton désodorisant pour la toilette, c'est un carton d'allumettes.

quand ta femme est plus pesante que ton frigidaire.

quand tu vas à l'église pour essayer de te trouver une blonde.

si on peut savoir ton âge seulement par le nombre de cernes qu'il y a autour de ton bain.

quand ta femme a un ventre de bière et que tu trouves ça beau.

si tu penses que Dom Pérignon est un parrain de la mafia.

quand tu n'as jamais payé pour te faire couper les cheveux.

si ton chien te sert de lave-vaisselle.